기출문장으로 공략

# 처음 만나는 수능 구문

## Workbook

*Basic*

기본

# Preview

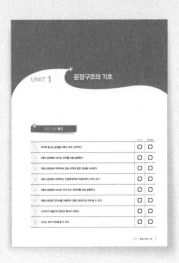

## 01 핵심 개념 확인

True or False 문제를 풀며 단원의 핵심 개념을 점검합니다.

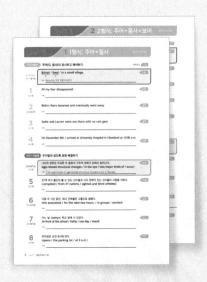

## 02 REVIEW

본책에서 학습한 문장을 복습하며, 내용을 제대로 이해했는지 점검합니다.

- 구조 + 해석

  문장을 끊어 읽으며 분석하고 해석하는 연습을 합니다.

- 구문 + 서술형

  표현을 바르게 배열하여 문장을 완성하는 기본적인 쓰기 연습을 합니다.

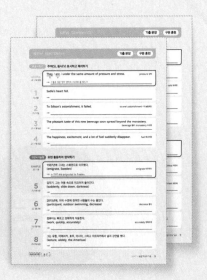

## 03 NEW SENTENCES

새로운 기출 문장에 학습한 내용을 적용하며, 구문 실력을 향상시킵니다.

- 구조 + 해석

  문장을 끊어 읽으며 분석하고 해석하는 연습을 합니다.

- 구문 + 서술형

  빈칸 쓰기 문제부터 조건 영작 및 전체 문장 쓰기 연습을 하며 내신 서술형 평가에 대비합니다.

## 04 UNIT REVIEW QUIZ

올바른 문장을 고르며 구문을 완벽하게 이해했는지
최종 점검합니다.

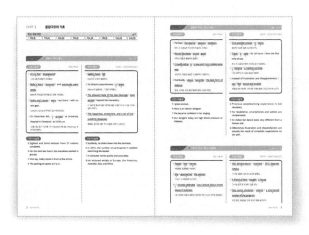

## 05 ANSWERS

문장의 끊어 읽기와 분석 및 해석, 문제의 정답과 해설을
확인합니다.

---

## 이 책에 사용된 기호

| S | 주어(= subject) | to-v | to부정사 |
|---|---|---|---|
| V | 동사(= verb) | v-ing | 동명사 또는 현재분사 |
| O | 목적어(= object) | p.p. | 과거분사(= past participle) |
| IO | 간접목적어(= indirect object) | / | 문장 성분 및 의미 단위 끊어 읽기 |
| DO | 직접목적어(= direct object) | 〈 〉 | 긴 (수식)어구 |
| C | 보어(= complement) | [ ] | 문장 속에 포함된 종속절 |
| M | 수식어(= modifier) | [〈 〉] | 종속절 속 긴 (수식)어구 또는 종속절 |

# Contents

**Unit 1** 문장구조의 기초

| | | |
|---|---|---|
| 1 | 1형식: 주어+동사 | 008 |
| 2 | 2형식: 주어+동사+보어 | 010 |
| 3 | 3형식: 주어+동사+목적어 | 012 |
| 4, 5 | 4형식: 주어+동사+간접목적어+직접목적어, 5형식: 주어+동사+목적어+보어 | 014 |

**Unit 2** 동사: 시제

| | | |
|---|---|---|
| 1 | 단순시제: 현재, 과거, 미래 | 018 |
| 2 | 완료형: 현재/과거/미래 완료 | 020 |
| 3 | 진행형: 현재/과거/미래/완료 진행 | 022 |

**Unit 3** 동사: 수동태

| | | |
|---|---|---|
| 1 | 3형식의 수동태 | 026 |
| 2, 3 | 4형식의 수동태, 5형식의 수동태 | 028 |
| 4 | 주의할 수동태 | 030 |

**Unit 4** 동사: 조동사

| | | |
|---|---|---|
| 1 | 조동사: 능력, 허가, 의무, 충고 | 034 |
| 2 | 조동사: 가능성, 추측, should | 036 |
| 3, 4 | 조동사+have p.p., 다양한 조동사 표현 | 038 |

**Unit 5** 주어

| | | |
|---|---|---|
| 1 | 명사와 명사구 주어 | 042 |
| 2 | 명사절 주어 | 044 |
| 3 | 가주어 it | 046 |
| 4 | 다양한 주어 표현 | 048 |
| 5 | 주어의 자리바꿈 | 050 |

**Unit 6** 목적어

| | | |
|---|---|---|
| 1 | 명사와 명사구 목적어 | 054 |
| 2 | 명사절 목적어 | 056 |
| 3 | 가목적어 it, 재귀목적어 | 058 |
| 4 | 전치사의 목적어 | 060 |
| 5 | 전치사구를 동반하는 동사구문 | 062 |

## Unit 7 보어

| 1 | 주격보어: 형용사, 명사 | 066 |
|---|---|---|
| 2 | 주격보어: to부정사, 동명사, 명사절 | 068 |
| 3 | 목적격보어: 형용사, 명사 | 070 |
| 4, 5 | 목적격보어: to부정사, 원형부정사, 목적격보어: 현재분사, 과거분사 | 072 |

## Unit 8 수식어-형용사

| 1 | 형용사(구): 어순 | 076 |
|---|---|---|
| 2 | 형용사(구): 현재분사, 과거분사 | 078 |
| 3 | 형용사절: 관계대명사절 | 080 |
| 4 | 형용사절: 관계부사절 | 082 |
| 5 | 콤마+관계사절 | 084 |
| 6 | 복잡한 관계사절 | 086 |

## Unit 9 수식어-부사

| 1 | 부사(구): 다양한 수식 | 090 |
|---|---|---|
| 2 | 부사구: to부정사(구) | 092 |
| 3 | 부사구: 분사구문의 다양한 의미 | 094 |
| 4, 5 | 부사구: 분사구문의 다양한 형태, 부사구: 분사구문의 관용적 표현 | 096 |
| 6 | 부사절: 시간 | 098 |
| 7 | 부사절: 이유, 조건 | 100 |
| 8 | 부사절: 양보, 대조 | 102 |
| 9 | 부사절: 목적, 결과, 양태 | 104 |

## Unit 10 스페셜 구문

| 1 | 접속사: 등위접속사 | 108 |
|---|---|---|
| 2 | 접속사: 상관접속사 | 110 |
| 3 | 접속사: 병렬구조 | 112 |
| 4 | 비교구문: 원급 | 114 |
| 5 | 비교구문: 비교급 | 116 |
| 6 | 비교구문: 최상급 | 118 |
| 7 | 가정법: 과거, 과거완료 | 120 |
| 8, 9 | 가정법: as if 가정법, 가정법: 다양한 가정법 표현 | 122 |
| 10 | 기타 구문: 부정, 도치, 강조 | 124 |
| 11 | 기타 구문: 삽입, 동격, 생략 | 126 |

# 자기 주도 학습 관리표

| 단원 목차 | | | 공부한 날 월/일 | 복습한 날 월/일 | 나의 성취도 체크 (v) 개념 이해 | 문제 풀이 | 오답 점검 | 누적 복습 |
|---|---|---|---|---|---|---|---|---|
| **Unit 1** 문장구조의 기초 | 1 | 1형식: 주어+동사 | / | / | | | | |
| | 2 | 2형식: 주어+동사+보어 | / | / | | | | |
| | 3 | 3형식: 주어+동사+목적어 | / | / | | | | |
| | 4, 5 | 4형식: 주어+동사+간접목적어+직접목적어, 5형식: 주어+동사+목적어+보어 | / | / | | | | |
| **Unit 2** 동사: 시제 | 1 | 단순시제: 현재, 과거, 미래 | / | / | | | | |
| | 2 | 완료형: 현재/과거/미래 완료 | / | / | | | | |
| | 3 | 진행형: 현재/과거/미래/완료 진행 | / | / | | | | |
| **Unit 3** 동사: 수동태 | 1 | 3형식의 수동태 | / | / | | | | |
| | 2, 3 | 4형식의 수동태, 5형식의 수동태 | / | / | | | | |
| | 4 | 주의할 수동태 | / | / | | | | |
| **Unit 4** 동사: 조동사 | 1 | 조동사: 능력, 허가, 의무, 충고 | / | / | | | | |
| | 2 | 조동사: 가능성, 추측, should | / | / | | | | |
| | 3, 4 | 조동사+have p.p., 다양한 조동사 표현 | / | / | | | | |
| **Unit 5** 주어 | 1 | 명사와 명사구 주어 | / | / | | | | |
| | 2 | 명사절 주어 | / | / | | | | |
| | 3 | 가주어 it | / | / | | | | |
| | 4 | 다양한 주어 표현 | / | / | | | | |
| | 5 | 주어의 자리바꿈 | / | / | | | | |
| **Unit 6** 목적어 | 1 | 명사와 명사구 목적어 | / | / | | | | |
| | 2 | 명사절 목적어 | / | / | | | | |
| | 3 | 가목적어 it, 재귀목적어 | / | / | | | | |
| | 4 | 전치사의 목적어 | / | / | | | | |
| | 5 | 전치사구를 동반하는 동사구문 | / | / | | | | |
| **Unit 7** 보어 | 1 | 주격보어: 형용사, 명사 | / | / | | | | |
| | 2 | 주격보어: to부정사, 동명사, 명사절 | / | / | | | | |
| | 3 | 목적격보어: 형용사, 명사 | / | / | | | | |
| | 4, 5 | 목적격보어: to부정사, 원형부정사, 목적격보어: 현재분사, 과거분사 | / | / | | | | |
| **Unit 8** 수식어 - 형용사 | 1 | 형용사(구): 어순 | / | / | | | | |
| | 2 | 형용사(구): 현재분사, 과거분사 | / | / | | | | |
| | 3 | 형용사절: 관계대명사절 | / | / | | | | |
| | 4 | 형용사절: 관계부사절 | / | / | | | | |
| | 5 | 콤마+관계사절 | / | / | | | | |
| | 6 | 복잡한 관계사절 | / | / | | | | |
| **Unit 9** 수식어 - 부사 | 1 | 부사(구): 다양한 수식 | / | / | | | | |
| | 2 | 부사구: to부정사(구) | / | / | | | | |
| | 3 | 부사구: 분사구문의 다양한 의미 | / | / | | | | |
| | 4, 5 | 부사구: 분사구문의 다양한 형태, 부사구: 분사구문의 관용적 표현 | / | / | | | | |
| | 6 | 부사절: 시간 | / | / | | | | |
| | 7 | 부사절: 이유, 조건 | / | / | | | | |
| | 8 | 부사절: 양보, 대조 | / | / | | | | |
| | 9 | 부사절: 목적, 결과, 양태 | / | / | | | | |
| **Unit 10** 스페셜 구문 | 1 | 접속사: 등위접속사 | / | / | | | | |
| | 2 | 접속사: 상관접속사 | / | / | | | | |
| | 3 | 접속사: 병렬구조 | / | / | | | | |
| | 4 | 비교구문: 원급 | / | / | | | | |
| | 5 | 비교구문: 비교급 | / | / | | | | |
| | 6 | 비교구문: 최상급 | / | / | | | | |
| | 7 | 가정법: 과거, 과거완료 | / | / | | | | |
| | 8, 9 | 가정법: as if 가정법, 가정법: 다양한 가정법 표현 | / | / | | | | |
| | 10 | 기타 구문: 부정, 도치, 강조 | / | / | | | | |
| | 11 | 기타 구문: 삽입, 동격, 생략 | / | / | | | | |

# UNIT 1

## 문장구조의 기초

### 핵심 개념 확인

| | | TRUE | FALSE |
|---|---|---|---|
| 1 | 주어와 동사는 문장을 이루는 최소 단위이다. | ☐ | ☐ |
| 2 | 2형식 문장에서 보어는 주어를 보충 설명한다. | ☐ | ☐ |
| 3 | 3형식 문장에서 목적어는 항상 주어와 같은 대상을 나타낸다. | ☐ | ☐ |
| 4 | 4형식 문장에서 목적어는 간접목적어와 직접목적어 2개가 있다. | ☐ | ☐ |
| 5 | 5형식 문장에서 보어는 주어 또는 목적어를 보충 설명한다. | ☐ | ☐ |
| 6 | 4형식 문장은 전치사를 이용하여 3형식 문장으로 바꿔 쓸 수 있다. | ☐ | ☐ |
| 7 | 수식어가 덧붙으면 문장의 형식이 바뀐다. | ☐ | ☐ |
| 8 | 부사는 보어 자리에 올 수 있다. | ☐ | ☐ |

# 1 1형식: 주어+동사

**구조+해석** 주어(S), 동사(V) 표시하고 해석하기

본책 문장 LINK

**SAMPLE**
고2 11월 응용

Bahati / lived / in a small village.　010
　　S　　　V
→ Bahati는 작은 마을에 살았다.

**1**
고2 3월

All my fear disappeared!　003
→ _____

**2**
고2 3월 응용

Bella's fears lessened and eventually went away.　005
→ _____

**3**
고2 9월

Sadie and Lauren were out there with no rain gear.　009
→ _____

**4**
고2 3월

On December 6th, I arrived at University Hospital in Cleveland at 10:00 a.m.　018
→ _____

**구문+서술형** 우리말과 같도록 표현 배열하기

**SAMPLE**
고2 3월

나이와 관련된 주요한 두 종류의 구조적 변화가 눈에서 일어난다.　014
(age-related structural changes / in the eye / two major kinds of / occur)
→ Two major kinds of age-related structural changes occur in the eye.

**5**
고2 3월

37개 국가 출신의 볼 수 있는 선수들과 시각 장애가 있는 선수들이 시합을 치렀다.　006
(competed / from 37 nations / sighted and blind athletes)
→ _____

**6**
고2 6월 응용

다음 두 시간 동안, 회사 간부들은 그룹으로 일했다.　017
(the executives / for the next two hours, / in groups / worked)
→ _____

**7**
고2 9월 응용

어느 날, Kathy는 학교 앞에 서 있었다.　015
(in front of the school / Kathy / one day, / stood)
→ _____

**8**
고2 3월

주차장은 오전 9시에 연다.　012
(opens / the parking lot / at 9 a.m.)
→ _____

**구조+해석** 주어(S), 동사(V) 표시하고 해석하기

SAMPLE
고2 11월 응용

They / are / under the same amount of pressure and stress.        pressure 압박
　S　　V
→ 그들은 같은 양의 압박과 스트레스를 받는다.

1
고2 9월

Sadie's heart fell.

→ _____

2
고2 11월

To Edison's astonishment, it failed.        to one's astonishment ~가 놀랍게도

→ _____

3
고1 11월 응용

The pleasant taste of this new beverage soon spread beyond the monastery.
        beverage 음료  monastery 수도원
→ _____

4
고1 11월 응용

The happiness, excitement, and a lot of fuel suddenly disappear.        fuel 에너지원

→ _____


**구문+서술형** 표현 활용하여 영작하기

SAMPLE
고2 11월

1937년에 그녀는 스웨덴으로 이주했다.
(emigrate, Sweden)        emigrate 이주하다

→ In 1937 she emigrated to Sweden.

5
고2 6월 응용

갑자기, 그는 어둠 속으로 미끄러져 들어간다.
(suddenly, slide down, darkness)

→ _____

6
고2 3월 응용

2015년에, 야외 수영에 참여한 사람들의 수는 줄었다.
(participant, outdoor swimming, decrease)        decrease 줄다

→ _____

7
고2 6월 응용

컴퓨터는 빠르고 정확하게 작동한다.
(work, quickly, accurately)        accurately 정확하게

→ _____

8
고2 3월 응용

그는 유럽, 아메리카, 호주, 아시아, 그리고 아프리카에서 널리 강연을 했다.
(lecture, widely, the Americas)

→ _____

# UNIT 1

## 2 2형식: 주어+동사+보어  REVIEW

**구조+해석** 주어(S), 동사(V), 보어(C) 표시하고 해석하기  본책 문장 LINK

**SAMPLE**
고2 9월 응용

Others / remain / unsolved / to this day.  ◀ 029
　S　　V　　　C
→ 다른 것들은 오늘날까지 풀리지 않은 채로 남아 있다.

**1**
고2 6월 응용

Perhaps the teacher appears stubborn.  ◀ 031

→ _____

**2**
고2 3월 응용

Words like these sound good.  ◀ 034

→ _____

**3**
고2 11월 응용

Crowdfunding is a new and more collaborative way.  ◀ 020

→ _____

**4**
고2 3월 응용

Eventually, attack becomes the best form of defence.  ◀ 027

→ _____

**구문+서술형** 우리말과 같도록 표현 배열하기

**SAMPLE**
고2 6월 응용

실수는 최고의 선생님이다.  ◀ 022
(mistakes / the best teachers / are)
→ Mistakes are the best teachers.

**5**
고2 3월 응용

나는 점점 불안해졌다.  ◀ 032
(grew / anxious / I)

→ _____

**6**
고2 3월

Mary는 인테리어 디자이너이다.  ◀ 019
(an interior designer / is / Mary)

→ _____

**7**
고2 11월

그녀는 자신의 노래에 자신감을 가지게 되었다.  ◀ 033
(in her singing / became / she / confident)

→ _____

**8**
고2 11월 응용

오늘날 우리의 위험은 고혈압이나 당뇨병이다.  ◀ 024
(high blood pressure or diabetes / our dangers today / are)

→ _____

**구조+해석** 　주어(S), 동사(V), 보어(C) 표시하고 해석하기

SAMPLE
고2 3월

We / are / the members of the 11th grade band.
　S　 V　　　　　　　　　　C

→ 우리는 11학년 밴드부의 구성원들이다.

1
고1 11월

One possible answer is stress.

→ _____

2
고1 11월

Ticket is valid for 24 hours from the first time of use. 　　　　valid 유효한

→ _____

3
고2 3월 응용

I became a medical curiosity.

→ _____

4
고2 3월 응용

Instead of frustration and disappointment, you feel proud and excited.

→ _____

**구문+서술형** 　표현 활용하여 영작하기

SAMPLE
고2 6월

우리는 크리스마스를 제외한 모든 휴일에 개장한다.
(open, holiday, except)

→ We are open on all holidays except Christmas Day.

5
고1 11월

이전 목공 경험은 필요하지 않다.
(previous, woodworking, necessary) 　　　　previous 이전의

→ _____

6
고2 11월

Madeleine에게, 스마트폰과 태블릿은 보완재이다.
(smartphone, tablet, complement) 　　　　complement 보완재

→ _____

7
고2 11월 응용

인도 부채춤은 한국의 것과는 매우 다르게 보인다.
(fan dance, look, different from, one)

→ _____

8
고2 11월

흔히 좌절과 불만족은 실제로는 우리에 대한 비현실적인 기대의 결과물이다.
(oftentimes, frustration, dissatisfaction, unrealistic, expectation, our part)

→ _____

ANSWERS → p.3

# 3 3형식: 주어＋동사＋목적어 REVIEW

**구조+해석** 주어(S), 동사(V), 목적어(O) 표시하고 해석하기

본책 문장 LINK

**SAMPLE**
고2 9월

Our teachers, coaches, and parents / taught / us.
　　　　　　　S　　　　　　　　　　V　　　O

038

→ 우리 선생님들, 코치들, 부모님들이 우리를 가르쳤다.

**1**
고2 6월

People love heroes.

041

→ _____

**2**
고2 6월 응용

She approached the woman.

047

→ _____

**3**
고2 11월 응용

I recently attended your lecture about recent issues in business.

050

→ _____

**4**
고2 11월

Suddenly she stopped the song and addressed her directly.

046

→ _____

**구문+서술형** 우리말과 같도록 표현 배열하기

**SAMPLE**
고2 9월 응용

Philip은 약을 가지고 막사에 들어갔다.
(Philip / with the medicine / the tent / entered)

052

→ Philip entered the tent with the medicine.

**5**
고2 9월

어느 날, 그 노인은 쉬는 시간 동안 음료를 마시자고 그를 초대했다.
(during the break time / the old man / him / one day, / invited / for a drink)

040

→ _____

**6**
고2 11월 응용

그들은 사람들의 기분에 영향을 미친다.
(people's mood / they / affect)

048

→ _____

**7**
고2 9월

그날, 그 젊은 나무꾼은 그들의 사장에게 15개의 나무를 가져갔다.
(the young woodcutter / to their boss / brought / that day, / 15 trees)

045

→ _____

**8**
고1 11월

농부는 그와 금세 진한 우정을 키웠다.
(a strong friendship / the farmer / with him / quickly developed)

044

→ _____

**구조＋해석**　주어(S), 동사(V), 목적어(O) 표시하고 해석하기

**SAMPLE**
고2 6월

One day, / his father / sends / him / on a children's tour of the museum.
　　　　　　　S　　　　　V　　　O

→ 어느 날, 그의 아버지는 그를 박물관의 어린이 투어에 보낸다.

---

**1**
고2 6월 응용

Her temperature reached 39.5 degrees Celsius. 　　　　　　　temperature 체온

→ _____

---

**2**
고2 3월 응용

A friend of hers bought a house.

→ _____

---

**3**
고2 6월 응용

Day camp students attend a shortened version of the program.

→ _____

---

**4**
고2 6월

Nast made lasting contributions to the American political and cultural scene.
　　　　　　　　　　　　　　　　　　　　　　　　　　　　　lasting 지속적인

→ _____

---

**구문＋서술형**　표현 활용하여 영작하기

**SAMPLE**
고1 11월

나는 Blaze를 결코 다시 보지 못했고, 나는 그를 많이 그리워했다.
(never, see, miss, a lot)

→ I never saw Blaze again, and I missed him a lot.

---

**5**
고1 11월 응용

그들은 창의적인 아이디어들을 자진해서 제안한다. 　　　　　　voluntarily 자진해서
(voluntarily, suggest, creative)

→ _____

---

**6**
고2 3월 응용

나는 희귀병으로 병원에 입원했다. 　　　　　　　　　rare disease 희귀병
(enter, rare disease)

→ _____

---

**7**
고2 11월 응용

그녀의 7학년 후 여름에, Sloop은 재능이 있는 아이들을 위한 캠프에 참가했다. 　gifted 재능이 있는
(after, seventh-grade year, attend, gifted, kid)

→ _____

---

**8**
고1 11월 응용

여러분의 성향과 책임감은 여러분의 학습 능력과 방식에 영향을 준다. 　　personality 성향
(personality, sense of responsibility, affect, learning abilities)

→ _____

ANSWERS　p.3

## 4, 5
4형식: 주어+동사+간접목적어+직접목적어
5형식: 주어+동사+목적어+보어

REVIEW

---

구조+해석 주어(S), 동사(V), 목적어(O, IO, DO), 보어(C) 표시하고 해석하기

본책 문장 LINK

**SAMPLE**
고2 11월응용

Our brain / considers / this / a danger.
S　　　　V　　　　O　　　C

064

→ 우리의 뇌는 이것을 위험으로 간주한다.

**1**
고2 6월

Philosophers call it *utilitarianism*.

062

→ _____

**2**
고1 11월응용

The farmer offered him lamb meat and cheese.

057

→ _____

**3**
고2 6월응용

Her work won her a Prince Claus Award.

060

→ _____

**4**
고2 9월응용

This makes us more confident in said beliefs.

066

→ _____

---

구문+서술형 우리말과 같도록 표현 배열하기

**SAMPLE**
고2 6월응용

그녀는 계산원에게 구호 대상자용 식량 카드를 건넸다.
(some food stamps / gave / the cashier / she)

058

→ She gave the cashier some food stamps.

**5**
고2 6월응용

주인은 그녀에게 약간의 음식을 주었다.
(her / gave / the owner / some food)

055

→ _____

**6**
고2 11월응용

한 동료가 당신에게 똑같은 질문을 한다.
(the same question / asks / a co-worker / you)

061

→ _____

**7**
고2 6월응용

그들은 그를 G.E.의 고문 엔지니어로 임명했다.
(him / they / made / Consulting Engineer of G.E.)

065

→ _____

**8**
고2 3월

이것은 그 고객이 할 말을 잃게 만들었다.
(made / this / speechless / the customer)

067

→ _____

## 구조+해석  주어(S), 동사(V), 목적어(O, IO, DO), 보어(C) 표시하고 해석하기

**SAMPLE**
고2 6월 응용

Darling / gave / Harris / all the cash.
   S     V     IO      DO
→ Darling은 Harris에게 현금 전부를 주었다.

**1**
고2 3월

I owe you no money!

→ _____

**2**
고2 3월 응용

His bold rescue of their daughter made him a treasured member of the family.
                                                     treasured 소중한

→ _____

**3**
고2 11월 응용

One evening my youngest daughter, Kelly, handed me an envelope.

→ _____

**4**
고2 11월 응용

Poetry makes us more keenly and fully aware of life.    keenly 날카롭게  aware 인식하고 있는

→ _____

## 구문+서술형  표현 활용하여 영작하기

**SAMPLE**
고2 9월 응용

cookie는 공유 컴퓨터들을 훨씬 덜 안전하게 만든다.
(make, shared computer, far, secure)

→ Cookies make shared computers far less secure.

**5**
고2 6월

오늘날의 시장에서 선택 항목의 과잉은 당신에게 더 많은 선택의 자유를 준다.
(overabundance, options, marketplace, freedom, choice)

→ _____

**6**
고1 11월 응용

어느 정도의 반복은 우리에게 안정감을 준다.
(some repetition, a sense of security)           repetition 반복

→ _____

**7**
고2 9월 응용

내부의 갈등은 그 회사를 외부의 위협들에 취약하도록 만든다.    vulnerable 취약한
(internal, conflict, company, vulnerable, outside threat)    threat 위협

→ _____

**8**
고2 3월 응용

이러한 궁금증과 이해하고 싶은 욕망은 우리를 인간으로 만들어 준다.
(sense of wonder, desire, understanding)    desire 욕망

→ _____

ANSWERS  p. 4

옳은 문장에 ✓

**1**
고1 11월

a He died of cardiac disease in Chicago in 1923.
b His died of cardiac disease in Chicago in 1923.

cardiac disease 심장병

**2**
고2 11월

a Dark colors look heavily, and bright colors look less so.
b Dark colors look heavy, and bright colors look less so.

**3**
고2 11월 응용

a He attended Columbia University.
b He attended to Columbia University.

**4**
고2 9월

a I find them all the time.
b I find they all the time.

**5**
고1 11월

a No one taught this of you.
b No one taught this to you.

**6**
고2 6월 응용

a She handed a small card her.
b She handed her a small card.

**7**
고2 6월 응용

a The simulation makes more understandable the written material.
b The simulation makes the written material more understandable.

**8**
고1 11월 응용

a The rabbit makes the chase more difficult for the coyote.
b The rabbit makes the chase more difficultly for the coyote.

chase 추격

# UNIT 2

## 동사: 시제

### 핵심 개념 확인

| | | TRUE | FALSE |
|---|---|:---:|:---:|
| 1 | 현재 시제는 현재의 동작이나 상태, 반복적인 습관을 나타낸다. | ☐ | ☐ |
| 2 | 속담이나 불변의 진리는 과거 시제로 나타낼 수 있다. | ☐ | ☐ |
| 3 | 미래 시제는 확정된 미래의 계획들만 나타낼 수 있다. | ☐ | ☐ |
| 4 | 현재완료는 과거에 일어난 일이 현재까지 영향을 미치고 있음을 나타낸다. | ☐ | ☐ |
| 5 | 과거완료는 과거의 시간적 순서를 강조하는 대과거로도 사용할 수 있다. | ☐ | ☐ |
| 6 | 미래완료는 '과거~현재~미래'를 연결하여 완료, 경험, 계속, 결과를 나타낸다. | ☐ | ☐ |
| 7 | 진행형은 특정 시점에 진행 중인 동작이나 상태를 나타낸다. | ☐ | ☐ |
| 8 | 완료진행형은 현재/과거/미래 완료의 여러 의미 중 동작이 '완료' 되었음을 강조할 때 사용한다. | ☐ | ☐ |

**구조+해석**  동사(V)와 시제 표시하고 해석하기  본책 문장 LINK

**SAMPLE**
고1 11월

Non-verbal communication / is not / a substitute for verbal communication.  073
                        V(현재)

→ 비언어적 의사소통은 언어적 의사소통의 대체물이 아니다.

**1**
고2 9월

Our team will not cause any issues to public services or other park visitors.  085

→ _____

**2**
고2 11월

Attitude provides safe conduct through all kinds of storms.  077

→ _____

**3**
고2 3월 응용

In the midst of the chaos, an unbelievable peace embraced me.  081

→ _____

**4**
고2 9월 응용

In the years before World War I, aircraft makers slowed down innovation.  082

→ _____

**구문+서술형**  우리말과 같도록 표현 배열하기

**SAMPLE**
고2 3월

각각의 1등 수상자는 50달러의 상품권을 받을 것이다.  084
(each first place winner / a $50 gift certificate / will receive)

→ Each first place winner will receive a $50 gift certificate.

**5**
고1 11월 응용

어제 그들은 여러분의 생각에 완전히 빠져 있었다.  078
(were / yesterday / in love with your idea / they)

→ _____

**6**
고2 11월

오늘날 우리의 세계는 비교적 무해하다.  072
(comparatively harmless / is / our world today)

→ _____

**7**
고1 11월

윤리적 그리고 도덕적 체계는 모든 문화마다 다르다.  071
(for every culture / are / ethical and moral systems / different)

→ _____

**8**
고2 3월 응용

꽃꽂이 작품들은 2020년 5월 9일까지 전시될 것이다.  083
(until May 9, 2020 / will be on display / flower arrangements)

→ _____

**기출 문장** + **구문 훈련**

---

**구조+해석** 동사(V)와 시제 표시하고 해석하기

SAMPLE
고2 3월

There / was / no lack of liars / in the land, / and each one / told / his tale / to the king.
V₁ (과거)　　　　　　　　　　　　　　　　　　　　　V₂ (과거)

→ 그 나라에는 거짓말쟁이가 많았으며, 각자가 자신의 거짓말을 그 왕에게 들려주었다.

---

**1**
고2 3월

The prices of these items are dependent on the prices of the physical commodities.

physical commodity 실물

→ _____

---

**2**
고2 11월

One word makes a world of difference: attitude!

a world of difference 엄청난 차이

→ _____

---

**3**
고1 11월 응용

Each student will leave with a hand-crafted side table.

→ _____

---

**4**
고2 9월 응용

David Hilbert, a German mathematician, identified 23 unsolved problems in 1900.

identify 규정하다

→ _____

---

**구문+서술형** 표현 활용하여 영작하기

SAMPLE
고2 3월 응용

아이들 사이의 갈등과 싸움의 대부분은 자연스럽다.
(most of, tensions, quarrels, between, natural)

quarrel 싸움

→ Most of the tensions and quarrels between children are natural.

---

**5**
고2 11월

당신의 경험과 지식은 우리 사업에 다방면으로 도움이 될 것이다.
(experience and knowledge, benefit, in many ways)

benefit ~에게 도움이 되다

→ _____

---

**6**
고1 11월

느낌과 감정은 매일의 의사 결정에 매우 중요하다.
(feeling and emotion, crucial, decision making)

crucial 매우 중요한

→ _____

---

**7**
고2 3월 응용

1995년과 1998년 사이에, 웹상의 미국 일간지 수가 175개에서 750개로 늘었다.
(between, US dailies, grow, from ~ to ...)

→ _____

---

**8**
고2 3월

주방의 향기가 나의 미뢰를 자극했다.
(aroma, excite, taste buds)

taste bud (혀의) 미뢰

→ _____

---

ANSWERS↓ p.5

## 2 완료형: 현재/과거/미래 완료  REVIEW

**구조+해석**  동사(V)와 시제 표시하고 해석하기

본책 문장 LINK

SAMPLE
고2 6월 응용

I / <u>have scheduled</u> / additional customer service training for them.  087
   V(현재완료)

→ 나는 그들을 대상으로 한 추가적인 고객 서비스 훈련을 계획했다.

---

**1**
고2 3월 응용

Since 1992 badminton has been an Olympic sport!  092

→ _____

---

**2**
고2 11월

For years, she had got no news of her son.  096

→ _____

---

**3**
고2 3월

I will have lived in this apartment for ten years as of this coming April.  102

→ _____

---

**4**
고2 9월 응용

The innocent spring shower had turned into a raging thunderstorm.  097

→ _____

---

**구문+서술형**  우리말과 같도록 표현 배열하기

SAMPLE
고2 9월

요즘, 전동 스쿠터가 빠르게 캠퍼스의 주요한 것이 되고 있다.  091
(a campus staple / electric scooters / these days, / have quickly become)

→ These days, electric scooters have quickly become a campus staple.

---

**5**
고2 11월 응용

Schreiber는 중독적인 운동 성향으로 고통받아 왔다.  093
(Schreiber / from addictive exercise tendencies / has suffered)

→ _____

---

**6**
고2 9월 응용

1940년에 사망에 이르기까지, 그는 인상적인 양의 작품을 만들어냈다.  095
(an impressive amount of work / had created / by his death in 1940, / he)

→ _____

---

**7**
고2 9월 응용

학부모들은 자녀들의 안전에 대한 우려를 표현해 왔다.  088
(have expressed / for the safety of their children / parents / concern)

→ _____

---

**8**
고2 6월

그녀는 자신의 모든 소지품들을 잃어버렸고, 단지 현금으로 5달러만을 갖고 있었다.  098
(and had / she / all of her belongings, / had lost / only $5 in cash)

→ _____

**구조+해석** 동사(V)와 시제 표시하고 해석하기

**SAMPLE**
고2 3월 응용

Huygens / had studied / forces and motion, / but he / did not accept / Newton's
~~V₁(과거완료)~~ ~~V₂(과거)~~
law of universal gravitation.   law of universal gravitation 만유인력의 법칙

→ Huygens는 힘과 운동을 연구해 왔지만, 뉴턴의 만유인력의 법칙을 받아들이지 않았다.

**1**
고2 3월 응용

Credit arrangements have existed in all known human cultures.
credit arrangement 신용 거래

→ _____

**2**
고1 11월 응용

Many of the plants' discoveries in chemistry and physics have served us well.

→ _____

**3**
고2 11월

Edison had not taken into account legislators' habits.   take into account ~을 고려하다
legislator 의원

→ _____

**4**
고2 9월

Much the same has happened with smartphones and biotechnology today.
biotechnology 생명공학

→ _____

**구문+서술형** 표현 활용하여 영작하기

**SAMPLE**
고2 3월

사흘 밤을 걷고 난 뒤에, 나는 그들이 나를 추적하는 것을 중단했다는 확신을 느꼈다.
(stop)

→ After three nights' walking, I felt sure that _they had stopped_ chasing me.

**5**
고2 6월 응용

Kennith는 자신의 아내가 약 10년 전에 죽은 이후로 그가 살 곳이 없었다고 밝혔다.
(be homeless, since, die, decade)   decade 10년

→ Kennith revealed that he _____.

**6**
고2 6월 응용

그 운명의 날 이후로, Harris의 인생은 완전히 달라졌다.
(life, turn ~ around, completely)   completely 완전히

→ Since the fateful day, _____.

**7**
고2 6월 응용

그의 계산들은 오늘날에도 여전히 사용되며, 그것들은 많은 조종사들을 구해 왔다.
(calculation, save, pilot)   save 구하다

→ _____ still in use today, and _____.

**8**
고1 11월 응용

오랫동안, 공동체들은 춤 의식들을 통해 자신들의 정체성들을 구축해 왔다.
(community, forge, identity, dance ritual)   forge 구축하다

→ Throughout time, _____.

ANSWERS↓ p.6

**구조+해석** 동사(V)와 시제 표시하고 해석하기    본책 문장 `LINK`

**SAMPLE**
고2 3월 응용

I / am simply paying better attention / to my human needs.   `104`
   V(현재진행)
→ 나는 그저 나의 인간적인 욕구에 더 주의를 기울이고 있을 뿐이다.

**1**
고2 6월

In today's version of show business, the business part is happening online.   `105`

→ _____

**2**
고2 6월

I have been using your coffee machines for several years.   `114`

→ _____

**3**
고2 6월

This month, we will be holding a "parent-child" look-alike contest!   `109`

→ _____

**4**
고2 6월 응용

His family members had been searching for him for 16 years.   `116`

→ _____

**구문+서술형** 우리말과 같도록 표현 배열하기

**SAMPLE**
고2 11월 응용

우리는 최근에 한 프로젝트를 진행해 오고 있다.   `112`
(we / on a project / have recently been working)

→ We have recently been working on a project.

**5**
고2 9월 응용

우리는 Pine Street에 과속 방지턱의 설치를 요청하고 있다.   `103`
(we / the installation of speed bumps / are requesting / on Pine Street)

→ _____

**6**
고1 11월 응용

사람들은 커피를 수 세기 동안 마셔 오고 있다.   `111`
(for centuries / have been drinking / humans / coffee)

→ _____

**7**
고2 11월 응용

어느 날 밤, 우리 가족은 다른 도시에서 온 부부와 파티를 하고 있었다.   `107`
(with a couple from another city / one night, / was having a party / my family)

→ _____

**8**
고2 3월 응용

그 가족은 그 개를 누군가에게 주려고 생각해 오고 있었다.   `115`
(giving the dog to someone / the family / had been thinking of)

→ _____

**구조+해석** 동사(V)와 시제 표시하고 해석하기

SAMPLE
고2 11월

Other trees / were falling, spinning and criss-crossing / like matches.
V(과거진행)
criss-cross 십자 무늬를 만들다

→ 다른 나무들은 성냥개비처럼 쓰러지고, 돌고, 십자 무늬를 만들고 있었다.

1
고2 9월 응용

We've been working up to this deadline.
up to ~까지

→ _____

2
고2 3월 응용

I was sitting outside a restaurant in Spain one summer evening.

→ _____

3
고2 9월 응용

With drone delivery systems, fewer transportation carriers will be traveling on roads.

→ _____

4
고2 9월 응용

I am currently teaching World History at Dreamers Academy.
currently 현재

→ _____

**구문+서술형** 표현 활용하여 영작하기

SAMPLE
고2 11월

상황이 매 순간 점점 더 악화되고 있었다.
(get worse, every second)

→ Things were getting worse every second.

5
고2 11월 응용

사람들이 헤드폰으로 음악을 많이 듣고 있다.
(listen to, headphones, a lot)

→ _____

6
고2 9월

과학 분야에서 드론의 사용이 증가해 오고 있는 중이다.
(use of, in science, increase)
increase 증가하다

→ _____

7
고2 11월 응용

그 나무는 위험하게 흔들리고 있었다.
(sway, dangerously)
sway 흔들리다

→ _____

8
고2 6월 응용

한 목사가 갓 태어난 쌍둥이의 이야기를 공유하고 있었다.
(priest, share, newborn twins)
share 공유하다

→ _____

ANSWERS p.7

옳은 문장에 ✓

**1**
고1 11월 응용

a  He has competed in more than sixty Grand slam event.
b  He has compete in more than sixty Grand slam event.

compete (시합 등에) 참가하다

**2**
고2 9월

a  Bull had died from cancer in his home in 1880.
b  Bull died from cancer in his home in 1880.

die from ~로 죽다

**3**
고2 11월 응용

a  Car-sharing is now a familiar concept.
b  Car-sharing was now a familiar concept.

familiar 익숙한

**4**
고2 3월 응용

a  Jack was contributing to Mark's attitude.
b  Jack was contributes to Mark's attitude.

**5**
고2 11월

a  Jane had never see her before.
b  Jane had never seen her before.

**6**
고2 9월

a  Registration will closed two days before the event.
b  Registration will close two days before the event.

registration 등록

**7**
고1 11월 응용

a  A long time ago, a farmer in a small town has a neighbor.
b  A long time ago, a farmer in a small town had a neighbor.

**8**
고2 3월 응용

a  He and his wife had been teaching at the Aspen Music School for many years.
b  He and his wife had being teaching at the Aspen Music School for many years.

# UNIT 3

## 동사: 수동태

### 핵심 개념 확인

| | | TRUE | FALSE |
|---|---|:---:|:---:|
| 1 | 수동태는 동작을 행하는 '주체'가 아닌 당하는 '대상'이 주어로 표현되는 것이다. | ☐ | ☐ |
| 2 | 3형식의 수동태는 「S+be+p.p.(+by+목적어)」의 형태이다. | ☐ | ☐ |
| 3 | 4형식의 수동태는 「S+be+p.p.+O」의 형태로, 주로 간접목적어가 주어 자리로 이동한다. | ☐ | ☐ |
| 4 | 5형식의 수동태는 「S+be+p.p.+O+C」의 형태이다. | ☐ | ☐ |
| 5 | 수동태의 행위자가 불분명하거나 막연한 일반인일 때 「by+목적어」는 생략할 수 있다. | ☐ | ☐ |
| 6 | 진행 수동태는 「be been+p.p.」로 나타낸다. | ☐ | ☐ |
| 7 | 완료 수동태는 「have[has]/had+been+p.p.」로 나타낸다. | ☐ | ☐ |
| 8 | 수동태 동사의 행위자를 나타낼 때는 반드시 전치사 by를 써야 한다. | ☐ | ☐ |

**구조+해석** 주어(S), 동사(V) 표시하고 해석하기    본책 문장 LINK

SAMPLE
고1 11월 응용

We / are surrounded / by opportunities.    120
  S        V(수동태)

→ 우리는 기회에 둘러싸여 있다.

**1**
고1 11월 응용

The games will be attended by many college coaches.    125

→ _____

**2**
고2 3월 응용

Medical services are still not well distributed.    128

→ _____

**3**
고2 3월

His creativity was praised at the time as the mark of genius.    132

→ _____

**4**
고2 6월 응용

Thomas Nast was born on September 27, 1840, in Landau, Germany.    133

→ _____

**구문+서술형** 우리말과 같도록 표현 배열하기

SAMPLE
고1 11월 응용

어떤 도덕적 또는 윤리적 견해는 개인의 문화적 관점에 의해 영향을 받는다. (are affected /    121
by an individual's cultural perspective / any moral or ethical opinions)

→ Any moral or ethical opinions are affected by an individual's cultural perspective.

**5**
고2 6월 응용

기계식 시계의 발명은 승려들에 의해 영향을 받았다.    123
(by monks / was influenced / the invention of the mechanical clock)

→ _____

**6**
고2 6월 응용

그들의 시야는 첫인상에 의해 흐려진다.    118
(their vision / by the first impression / is clouded)

→ _____

**7**
고2 6월 응용

많은 발명품들은 수천 년 전에 발명되었다.    131
(thousands of years ago / were invented / many inventions)

→ _____

**8**
고2 3월

간단한 음식이 끝나는 지점에서 제공될 것이다.    134
(refreshments / at the finish point / will be provided)

→ _____

**구조+해석**  주어(S), 동사(V) 표시하고 해석하기

**SAMPLE**
고2 6월

After a long wait, / an envelope / was handed / to the announcer.
　　　　　　　　　　　S　　　　　V(수동태)

hand 전달하다

→ 오랜 기다림 끝에, 봉투가 사회자에게 전달되었다.

**1**
고2 9월

Ten years later, the first train timetable was issued.

issue 발표하다

→ _____

**2**
고2 11월 응용

The sessions will be taught by the Busselton University Physics and Astronomy faculty.

faculty (학부의) 교수진

→ _____

**3**
고2 6월

Tours are offered Monday through Friday at 11:30 a.m.

→ _____

**4**
고1 11월

The winners will be announced at 5:00 p.m. on the day on site.

on site 현장에서

→ _____

**구문+서술형**  표현 활용하여 영작하기

**SAMPLE**
고2 11월

출품작들은 창의성, 내용 그리고 전반적인 전달의 효과성을 기준으로 평가될 것이다.
(entries, judge, content, overall, effectiveness, delivery)

effectiveness 효과성

→ Entries will be judged on creativity, content, and overall effectiveness of delivery.

**5**
고2 3월 응용

나는 대기실로 안내되었다.
(direct, waiting area)

→ _____

**6**
고1 11월 응용

부모와 자식은 특정한 권리, 특권, 그리고 의무에 의해 연결된다.
(link, certain, rights, privileges, obligations)

privilege 특권
obligation 의무

→ _____

**7**
고2 9월

결과는 11월 21일에 웹사이트에만 게시될 것입니다.
(results, post, website only)

post 게시하다

→ _____

**8**
고2 11월

모든 통화는 열람실 안에서 금지됩니다.
(call, prohibit, inside, reading room)

prohibit 금지하다

→ _____

**구조+해석**  주어(S), 동사(V), 목적어(O), 보어(C) 표시하고 해석하기  본책 문장  LINK

**SAMPLE**
고2 9월 응용

By 1828 / he / was made / conductor of the Musical Lyceum.  145
　　　　　 S　 V(수동태)　　　　　　　　　　 C

→ 1828년 무렵에 그는 Musical Lyceum의 지휘자가 되었다.

**1**
고1 11월

In life, our fruits are called our results.  142

→ _____

**2**
고2 3월

Consider identical twins; both individuals are given the same genes.  137

→ _____

**3**
고2 9월 응용

This effect will be made worse for regions such as Africa.  147

→ _____

**4**
고2 9월

A recording of your presentation will be given to you on a memory stick.  141

→ _____

**구문+서술형**  우리말과 같도록 표현 배열하기

**SAMPLE**
고1 11월 응용

1844년에, 그는 Royal Society에서 수학으로 금메달을 수여받았다. (he / in 1844, / a gold medal for mathematics / by the Royal Society / was awarded)  138

→ In 1844, he was awarded a gold medal for mathematics by the Royal Society.

**5**
고2 6월

개인들은 주요한 획기적 발견에 대해 공로를 인정받는다.
(for major breakthroughs / are given / individuals / credit)  136

→ _____

**6**
고2 9월 응용

한 회의에서, 로봇들은 'caring machines'라고 불렸다.
(the robots / "caring machines" / at one conference, / were called)  146

→ _____

**7**
고1 11월 응용

자신감은 자주 긍정적인 특성으로 여겨진다.
(is often considered / a positive trait / confidence)  143

→ _____

**8**
고2 3월 응용

파란 스웨터는 그녀의 삼촌 Ed로부터 그녀에게 주어졌다.
(by her uncle Ed / was given / a blue sweater / to her)  140

→ _____

**구조+해석**   주어(S), 동사(V), 목적어(O), 보어(C) 표시하고 해석하기

**SAMPLE**
고2 6월 응용

In a study, / subjects / were given / three different boxes of detergent.
          S       V(수동태)            O

detergent 세제

→ 한 연구에서, 피실험자들은 3개의 다른 세제 상자가 주어졌다.

**1**
고2 3월 응용

This activity was hardly considered a sport.

hardly 거의 ~ 않는

→ _____

**2**
고1 11월 응용

Many years later, Angela was awarded a New Directions Fellowship.

→ _____

**3**
고2 11월 응용

Many situations are considered a threat by our brains.

threat 위협

→ _____

**4**
고1 11월 응용

One of the dogs was given a better reward.

reward 보상

→ _____

**구문+서술형**   표현 활용하여 영작하기

**SAMPLE**
고2 9월 응용

이러한 기술은 cookie들에 의해 가능한 것이다.
(tricks, make, possible)

→ These tricks are made possible by cookies.

**5**
고2 11월 응용

당신은 이름들의 긴 목록을 보게 된다.
(show, a list of)

→ _____

**6**
고1 11월 응용

1849년에, 그는 아일랜드 Cork의 Queen's College의 최초 수학 교수로 임명되었다.
(appoint, the first, professor, mathematics)

appoint 임명하다

→ _____

**7**
고2 9월 응용

1,000명이 넘는 Illinois의 거주자들이 복지에 대한 질문들을 받았다.
(more than, resident, ask, question, welfare)

resident 거주자

→ _____

**8**
고2 3월 응용

인류의 구성원들 대다수에게는 그 선택권이 남겨져 있지 않다.
(most of, member, human race, leave, option)

→ _____

ANSWERS p.8

**구조+해석**　수동태 동사(+전치사) 표시하고 해석하기　　본책 문장 LINK

**SAMPLE**
고2 9월 응용

> The medicine / was being prepared.　　149
> 　　　　　　V(과거진행 수동태)
> → 약이 준비되고 있었다. _____

**1**
고2 3월

The recommendation has since been adopted, with some modifications,　152
almost everywhere.

→ _____

**2**
고2 11월 응용

During the war, he was involved in naval weapons research.　161

→ _____

**3**
고2 3월 응용

The apartment had been recently painted.　155

→ _____

**4**
고1 11월 응용

She was always disappointed about her performance despite her efforts.　158

→ _____

**구문+서술형**　우리말과 같도록 표현 배열하기

**SAMPLE**
고2 9월 응용

> 우리는 전례 없는 위기에 직면해 있다.　　163
> (unprecedented perils / are faced with / we)
> → We are faced with unprecedented perils. _____

**5**
고1 11월

그의 손과 얼굴은 주름으로 덮여 있었다.　162
(his hands and face / wrinkles / were covered in)

→ _____

**6**
고2 3월 응용

자신에게 하는 긍정적인 말에 관한 많은 것이 쓰여지고, 이야기되어 왔다.　151
(about positive self-talk / has been written and said / much)

→ _____

**7**
고2 11월

그는 바람의 힘에 놀랐다.　157
(the power of the wind / was amazed at / he)

→ _____

**8**
고2 6월

화요일 오전 중간쯤에, 거의 **152,000**달러가 기부되었다.　156
(had been donated / as of mid-morning Tuesday, / close to $152,000)

→ _____

기출 문장 + 구문 훈련

구조+해석   수동태 동사(+전치사) 표시하고 해석하기

**SAMPLE**
고2 6월

These interconnected webs / are intricately involved in / our memories.
　　　　　　　　　　　　　　　　V(수동태+전치사)
　　　　　　　　　　　　　　　　　　　　　intricately 복잡하게   memory 기억
→ 이 서로 연결된 망들은 우리의 기억과 복잡하게 연관되어 있다.

**1**
고2 6월

Xia Gui is known today as one of China's greatest masters of landscape painting.
landscape painting 풍경화
→ _____

**2**
고2 3월 응용

As a result, students are actively involved in knowledge construction.
construction 구성
→ _____

**3**
고2 6월 응용

He was satisfied with himself and with his decision.
→ _____

**4**
고2 11월

Over the years, memory has been given a bad name.
bad name 오명
→ _____

구문+서술형   표현 활용하여 영작하기

**SAMPLE**
고2 6월 응용

나는 내 이름이 불렸다는 것을 깨달았다.
(realize, name, call)
realize 깨닫다
→ I realized my name had been called.

**5**
고1 11월 응용

공공의 쟁점들이 공개적인 토론회에서 논의되어 왔다.
(public issue, discuss, public forums)
discuss 논의하다
→ _____

**6**
고2 11월 응용

그것은 제한 요인으로 알려져 있다.
(know, limiting factor)
→ _____

**7**
고1 11월

그때 그녀는 중대한 도전에 직면했다.
(then, face, serious challenge)
→ _____

**8**
고2 3월 응용

아주 많은 자료가 작성되고 있다.
(so, material, write)
material 자료
→ _____

ANSWERS  p.9

옳은 문장에 ✓

**1**
고1 11월 응용

a One example was uncovered by behavioral ecologists.
b One example was uncovered of behavioral ecologists.

uncover 발견하다

**2**
고2 3월 응용

a Large data sets have constructed.
b Large data sets have been constructed.

construct 구축하다

**3**
고2 6월 응용

a He had being impressed.
b He had been impressed.

impress 깊은 인상을 주다

**4**
고2 3월

a Lisa was excited about this project.
b Lisa was excited as this project.

**5**
고2 3월

a 30 minutes will be allowing for finishing arrangements.
b 30 minutes will be allowed for finishing arrangements.

arrangement 준비

**6**
고2 9월 응용

a In one experiment, people were given $5.
b In one experiment, people were given to $5.

**7**
고1 11월

a Gorge Boole born in Lincoln, England in 1815.
b George Boole was born in Lincoln, England in 1815.

**8**
고2 6월 응용

a The two goods are called complements.
b The two goods are calling complements.

complement 보완재

# UNIT 4

## 동사: 조동사

### 핵심 개념 확인

| | | TRUE | FALSE |
|---|---|:---:|:---:|
| 1 | 조동사는 동사 앞에 쓰여 동사의 의미를 보충하는 역할을 한다. | ☐ | ☐ |
| 2 | should는 must보다 강한 의무를 나타낸다. | ☐ | ☐ |
| 3 | could, might와 같은 과거형 조동사도 가능성 · 추측의 의미를 나타낼 수 있다. | ☐ | ☐ |
| 4 | 「조동사+have p.p.」로 현재 사실에 대한 추측을 나타낼 수 있다. | ☐ | ☐ |
| 5 | should have p.p.는 과거 사실에 대한 후회나 유감을 나타낸다. | ☐ | ☐ |
| 6 | 요구, 주장, 제안, 필요, 명령 등을 나타내는 동사의 목적어로 쓰인 that절에는 반드시 should를 써야 한다. | ☐ | ☐ |
| 7 | would와 used to는 현재의 습관을 나타낸다. | ☐ | ☐ |
| 8 | would like[love] to는 바람 · 소망을 나타낸다. | ☐ | ☐ |

**구조+해석**  동사(V) 표시하고 해석하기                                    본책 문장  LINK

SAMPLE
고1 11월 응용

Plants / can't change / location / or extend / their reproductive range /  168
V(능력: can't+동사원형₁)                    (동사원형₂)
without help.

→ 식물들은 위치를 바꾸거나 도움 없이 그것들의 번식 범위를 확장할 수 없다.

**1**  The Greeks were able to understand right and wrong in their lives.  172
고1 11월 응용  →

**2**  An individual student or a group of students may submit a video.  174
고2 11월  →

**3**  I must decline the recommendation.  176
고1 11월 응용  →

**4**  The participants should make a reservation no later than May 31.  183
고2 6월  →

**구문+서술형**  우리말과 같도록 표현 배열하기

SAMPLE
고2 3월 응용

인공호흡기는 많은 생명을 구할 수 있었다.  169
(many lives / respirators / could save)

→ Respirators could save many lives.

**5**  당신은 다음의 등급 중에서 선물용 회원권을 구매할 수 있다.  173
고2 9월  (may / you / at any of the following levels / a gift membership / purchase)

→

**6**  새로운 참가자(업체)들은 '특허 덤불'을 헤쳐 나가야 한다.  180
고2 9월 응용  (their way / have to fight / through "patent thickets" / new entrants)

→

**7**  다리는 환경의 균형을 결코 해쳐서는 안 된다.  178
고2 6월 응용  (the balance of the environment / upset / must not / a bridge)

→

**8**  제한의 시행은 일관성 있고 단호해야 한다.  182
고2 6월  (should / enforcement of the limit / consistent and firm / be)

→

**구조+해석**　동사(V) 표시하고 해석하기

SAMPLE
고2 9월 응용

The young woodcutter / tried / harder / the next day, / but he / could only bring /
　　　　　　　　　　　V₁　　　　　　　　　　　　　　　　　　　　　V₂(능력: could+동사원형)
ten trees.

→ 그 젊은 나무꾼은 다음 날 더 열심히 노력했지만, 그는 겨우 10개의 나무만을 가져올 수 있었다.

1
고2 3월 응용

Currently, we have to practice twice a week in the multipurpose room.

→ _____

2
고2 9월 응용

The formulas should appear identical to any two observers.　　　observer 관찰자

→ _____

3
고2 3월 응용

We should have an open mind, and should consider all relevant information.

→ _____

4
고2 6월 응용

The limit must be reasonable in terms of the child's developmental level.

→ _____

**구문+서술형**　표현 활용하여 영작하기

SAMPLE
고2 11월

한 포르투갈 속담에 따르면, '여러분은 절대 요트를 가져서는 안 되고, 요트 가진 친구를 가져야 한다.'
(according to, should, never, have, yacht)

→ According to a Portuguese saying, "You should never have a yacht; you should have a friend with a yacht."

5
고2 6월 응용

우리는 원자들, 또는 빗물의 웅덩이들에 있는 작은 생물들조차도 볼 수 없다.
(can, see, atom, tiny creature, puddle, rain water)　　　atom 원자

→ _____

6
고1 11월 응용

우리는 모든 좋은 점들을 강조해야 한다.
(should, emphasize, all, good thing)　　　emphasize 강조하다

→ _____

7
고2 3월 응용

그 배관공은 변기 수조 안에 있는 레버를 조정할 수 없었다.
(plumber, be able to, adjust, lever, toilet tank)　　　adjust 조정하다

→ _____

8
고2 9월 응용

우리는 그 문제의 범위와 목적들을 정의해야 한다.
(must, define, scope and goals)　　　define 정의하다

→ _____

ANSWERS↓ p.10

**구조+해석** 동사(V) 표시하고 해석하기     본책 문장 LINK

SAMPLE
고2 11월 응용

These buildings / <u>may be</u> / old and genuine.   187
V(가능성·추측: may+동사원형)

→ 이 건물들은 오래되고 진품일 수도 있다.

**1**
고2 6월 응용

Situational explanations can be complex.   189

→ _____

**2**
고2 9월

"I must be losing my strength," the young man thought.   192

→ _____

**3**
고1 11월 응용

Swedish law requires that at least two newspapers be published in every town.   195

→ _____

**4**
고2 11월 응용

Our project would benefit greatly from your cooperation.   191

→ _____

**구문+서술형** 우리말과 같도록 표현 배열하기

SAMPLE
고2 11월 응용

일시적으로 유행하는 다이어트는 실제로 근육량의 손실을 초래할 수도 있다.   188
(a loss of muscle mass / actually result in / could / a fad diet)

→ A fad diet could actually result in a loss of muscle mass.

**5**
고2 3월

출근하는 길에, 당신은 자신의 차에 휘발유를 넣을지도 모른다.   184
(in your car / gasoline / on the way to work, / might put / you)

→ _____

**6**
고2 11월 응용

그는 자신의 아들에게 그가 코끼리 조련사에게 가서 그 질문을 하라고 제안했다. (that he / suggested / go ask the question / to his son / to the elephant trainer / he)   193

→ _____

**7**
고2 6월

갑작스러운 성공이나 상금은 아주 위험할 수 있다.   190
(can / very dangerous / be / sudden success or winnings)

→ _____

**8**
고2 11월 응용

가격 하락은 판매자들에게는 일시적인 판매량의 상승을 보일 수 있다. (for the seller / might / a reduction in prices / see / a temporary increase in sales)   185

→ _____

**구조+해석** 　동사(V) 표시하고 해석하기

**SAMPLE**
고2 3월 응용

By using social technologies, / knowledge workers / can become / up to 25 percent
more productive.
　　　　　　　　　　　　　　　　　　　　　V(가능성 · 추측: can+동사원형)　　　　by+v-ing ~함으로써

→ 사회 공학적 기술을 이용함으로써, 지식 노동자들은 25%까지 생산성이 더 높아질 수 있다.

**1**
고2 9월 응용

This may appear rude to native speakers of English. 　　　native speaker 모국어로 쓰는 사람

→ _____

**2**
고2 9월 응용

We might accept it as fact, as confirmation of our beliefs. 　　　confirmation 확인

→ _____

**3**
고2 11월

I would greatly appreciate your assistance in this. 　　　appreciate 감사하다

→ _____

**4**
고2 3월 응용

Government regulations require that sugar be listed first on the label.

→ _____

**구문+서술형** 　표현 활용하여 영작하기

**SAMPLE**
고2 11월 응용

어떤 요인들은 특정한 종들의 성공에 매우 중요할 수도 있다.
(certain factor, may, critical, particular, species) 　　　critical 매우 중요한

→ Certain factors may be critical to a particular species' success.

**5**
고2 6월 응용

당신은 텔레비전이나 신문에서 정보를 얻을지도 모른다.
(might, catch, information)

→ _____

**6**
고1 11월 응용

세계화는 필연적으로 우리를 더 가깝게 만들 것이다.
(globalization, would, inevitably, bring ~ together) 　　　inevitably 필연적으로

→ _____

**7**
고2 6월

그것은 어떤 종류의 중독 또는 광적 행동의 출발점일 수 있다.
(can, any kind of, addiction, manic behavior) 　　　addiction 중독

→ _____

**8**
고2 11월 응용

거리에서 보면 이 집들은 단순한 선장들의 저택처럼 보일 수도 있다.
(from the street, may, look like, simple, sea captains' mansions) 　　　mansion 저택

→ _____

**구조+해석**　동사(V) 표시하고 해석하기　　　　　본책 문장　LINK

**SAMPLE**
고2 3월 응용

She / would ignore / safety standards / and would not listen to / other　207
　　　V₁(과거의 습관: would+동사원형)　　　　　　　　V₂(과거의 습관: would not+동사원형)
contractors.
→ 그녀는 안전 기준을 무시하곤 했고, 다른 계약자들의 말을 들으려 하지 않았다.

**1**
고2 6월

I have heard wonderful things about your company and would love to　211
join your team.

→ _____

**2**
고2 3월 응용

Four outs in a row may have been bad luck.　199

→ _____

**3**
고2 11월 응용

Chinese priests used to dangle a rope from the temple ceiling.　205

→ _____

**4**
고2 6월 응용

For many of the habits, there must have been some value.　202

→ _____

**구문+서술형**　우리말과 같도록 표현 배열하기

**SAMPLE**
고2 6월 응용

그는 그 장소를 지키고 있어야 했다.　203
(the area / should have been guarding / he)

→ He should have been guarding the area.

**5**
고2 9월 응용

고대 수렵 채집 생활인들의 내일의 메뉴는 완전히 달랐을지도 모른다. (of the ancient　198
foragers' / completely different / might have been / tomorrow's menu)

→ _____

**6**
고2 9월

그와 나는 몇 시간 동안 우리 할아버지 집에 있는 클로버 밭을 샅샅이 뒤지곤 했다.　206
(patches of clover / would search through / at our grandparents' house /
he and I / for hours)

→ _____

**7**
고2 9월

우리는 Sunbury Park에서 2019년 11월 14일 오전 9시부터 오후 3시까지 촬영하고 싶다.　208
(at Sunbury Park / would like to film / we / on November 14th, 2019, /
from 9 a.m. to 3 p.m.)

→ _____

**8**
고2 6월 응용

나는 반나절이나 잤음에 틀림없다.　201
(half the day / must have slept / I)

→ _____

**구조+해석** 　동사(V) 표시하고 해석하기

**SAMPLE**
고2 11월 응용

They / would light / it / with a flame / from the bottom.
　　　　　V(과거의 습관: would+동사원형)
→ 그들은 아래부터 그것에 불을 붙이곤 했다.

**1**
고1 11월

I would like to request your permission for the absence of the players from your school during this event.　　　　　　　　　　　　　　　　　　permission 허락

→ _____

**2**
고2 3월 응용

Such an exaggerated tale of hardship may have increased a product's value to the consumer.

→ _____

**3**
고2 11월 응용

From time to time the balloon salesman would release a brightly colored balloon.
　　　　　　　　　　　　　　　　　　　　　　　　　　　　　　release 풀어 놓다

→ _____

**4**
고1 11월 응용

The trains used to run past their apartments.

→ _____

**구문+서술형** 　표현 활용하여 영작하기

**SAMPLE**
고2 3월

머릿속 지도를 구성할 수 있는 능력은 초기 인류에게 필수적이었음이 분명하다.
(must, be, essential, early humans)　　　　　　　　　　essential 필수적인

→ The capacity to form mental maps <u>must have been essential for the early humans</u>.

**5**
고1 11월

나는 그녀의 웃음을 그 방치된 유모차를 가져가라는 허락으로 받아들였음에 틀림없다.
(must, take ~ as ..., smile, permission)

→ _____ to take the unwatched stroller.

**6**
고2 9월 응용

나는 네잎클로버들을 많이 찾아보곤 했는데, 결코 하나도 발견하지 못했다.
(used to, look for, four-leaf clover, a lot)

→ _____ and I never found one.

**7**
고2 11월 응용

당신은 철자들의 소리에 관한 특정한 사실들을 배웠을 것이다.
(may, study, specific, fact)　　　　　　　　　　　　specific 특정한

→ _____ about the sounds of letters.

**8**
고2 9월

나는 아이들이 경기 중일 때 오직 격려의 말만을 하곤 했다.
(would, say, words, encouragement)　　　　　　　encouragement 격려

→ _____ while the children were playing.

옳은 문장에 ✓

**1**
고2 6월 응용

a Your workspace may reveal a lot about your personality.
b Your workspace mays reveal a lot about your personality.

reveal 드러내다

**2**
고2 9월 응용

a It can dig tunnels and build skyscrapers.
b It can digs tunnels and build skyscrapers.

skyscraper 고층 건물

**3**
고2 9월 응용

a It might have motivate people.
b It might have motivated people.

motivate 동기를 부여하다

**4**
고2 6월

a I'd like to give you something.
b I'd like give you something.

**5**
고2 3월 응용

a You have to went outside.
b You have to go outside.

**6**
고2 3월

a Videos should are submitted between June 1 and August 31.
b Videos should be submitted between June 1 and August 31.

submit 제출하다

**7**
고2 9월 응용

a We would each "to make" a four-leaf clover.
b We would each "make" a four-leaf clover.

**8**
고2 3월 응용

a He insisted that William retire for the night.
b He insisted that William retires for the night.

retire for the night 잠자리에 들다

# UNIT 5 주어

## 핵심 개념 확인

| | | TRUE | FALSE |
|---|---|---|---|
| 1 | 「명사+수식어」 형태의 명사구 주어는 항상 복수 취급한다. | ☐ | ☐ |
| 2 | 동명사(구)와 to부정사(구) 주어는 복수 취급하여 복수 동사를 쓴다. | ☐ | ☐ |
| 3 | that이 이끄는 명사절은 주어 자리에 올 수 있고, 불완전한 구조를 이룬다. | ☐ | ☐ |
| 4 | whether가 이끄는 명사절은 주어 자리에 올 수 없다. | ☐ | ☐ |
| 5 | 관계대명사 what과 의문사가 이끄는 절은 주어 자리에 올 수 있다. | ☐ | ☐ |
| 6 | to부정사(구)나 that이 이끄는 명사절이 주어로 쓰일 때 가주어 it을 쓸 수 있다. | ☐ | ☐ |
| 7 | 비인칭 주어 it과 강조 구문의 it은 '그것'이라고 해석한다. | ☐ | ☐ |
| 8 | 부사구, 부정어 등이 문장 앞에 올 때 「(조)동사+주어」 형태의 도치가 일어날 수 있다. | ☐ | ☐ |

**구조+해석** 주어(S), 동사(V) 표시하고 해석하기 본책 문장 LINK

SAMPLE
고2 11월

Driving faster / will not get / you / to your destination / any sooner. 224
S(동명사구)    V

→ 더 빨리 운전하는 것은 당신을 당신의 목적지에 조금이라도 더 일찍 데려다주지는 않을 것이다.

**1**
고2 6월 응용

She counted out the coins from her piggy bank. 214

→ _____

**2**
고2 9월 응용

Scooter companies provide safety regulations. 216

→ _____

**3**
고2 6월

The average life span of an impala is between 13 and 15 years in the wild. 218

→ _____

**4**
고2 9월 응용

To be unable to distinguish a brother-in-law as the brother of one's wife or the husband of one's sister would seem confusing. 229

→ _____

**구문+서술형** 우리말과 같도록 표현 배열하기

SAMPLE
고2 6월

그것들은 마찬가지로 똑같이 위험할 수 있다. 213
(they / as well / can be / equally dangerous)

→ They can be equally dangerous as well.

**5**
고2 3월

사업은 제로섬 게임처럼 보였다. 215
(a zero-sum game / looked like / business)

→ _____

**6**
고1 11월

영화에서 (관객의) 집중을 얻는 것은 쉽다. 221
(easy / achieving focus / is / in a movie)

→ _____

**7**
고2 6월

아이에게 있는 욕구를 촉발하는 것이 가족 전체의 욕구를 촉발하는 것이다. 228
(in the whole family / to trigger desire / is / in a child / to trigger desire)

→ _____

**8**
고2 6월 응용

tarsier의 서식지는 대개 열대우림 지역이다. 217
(tropical rain forest / the habitat / is generally / of the tarsier)

→ _____

**구조+해석** 주어(S), 동사(V) 표시하고 해석하기

**SAMPLE**
고2 6월

An example 〈of this〉 is / the invention of pottery.　　　pottery 도자기
　　　　　S(명사구)　　　 V

→ 이것의 한 예는 도자기라는 발명품이다.

---

**1**
고2 6월 응용

We can choose an appropriate de-biasing strategy.　　　de-biasing 반 편견의

→ _____

---

**2**
고2 6월

Cutting costs can improve profitability but only up to a point.　　　profitability 수익성
up to a point 어느 정도

→ _____

---

**3**
고2 6월

My hands were trembling due to the anxiety.　　　tremble 떨리다

→ _____

---

**4**
고2 6월 응용

Combining the strengths of these machines with human strengths creates synergy.

→ _____

---

**구문+서술형** 표현 활용하여 영작하기

**SAMPLE**
고2 9월 응용

자녀가 불쾌한 경험을 겪지 않도록 해주고자 하는 것은 고귀한 목적이다. (spare, noble, aim)

→ To want to spare children _____ **from having to go through unpleasant experiences**

is a noble aim _____ .

---

**5**
고2 6월

씨앗들을 심고 그것들이 자라는 것을 보는 것은 쉽다.
(insert, seed, watch, easy)　　　insert 심다

→ _____ them grow _____ .

---

**6**
고1 11월

그들은 그 울타리를 자주 뛰어넘었고 농부의 새끼 양들을 쫓아다녔다.
(jump, fence, frequently, chase)　　　frequently 자주

→ _____ the farmer's lambs.

---

**7**
고2 6월

그 식당의 주인은 그녀의 이야기를 듣고 진정으로 공감해 주었다.
(owner, restaurant, hear)

→ _____ and really empathized.

---

**8**
고2 9월 응용

사과는 매우 작고 큰 질량을 가지고 있지 않다.
(apple, small, have, mass)　　　mass 질량

→ _____ , and _____ .

---

ANSWERS↓ p.13

**구조+해석** 주어(S), 동사(V) 표시하고 해석하기

본책 문장 LINK

SAMPLE
고2 3월

[Whether the item is located ⟨in the first, last, or middle position⟩]
S(명사절: Whether+S+V ~)
sometimes affects / the selection of or response to that item.
V

→ 물건이 처음, 마지막, 중간 중 어디에 위치하는지가 가끔 그 물건에 대한 선택 또는 반응에 영향을 미친다.

234

**1**
고2 11월

That a woman in her 80s can breakdance surprises younger people.

231

→ _____

**2**
고1 11월

What differed in both of these situations was the price context of the purchase.

238

→ _____

**3**
고2 3월

How you address your professors depends on many factors, such as age, college culture, and their own preference.

240

→ _____

**구문+서술형** 우리말과 같도록 표현 배열하기

SAMPLE
고2 9월

흔히 '평균 기대 수명'이라고 알려진 것은 엄밀히 말하면 '출생 당시의 기대 수명'이다.
(is / what is commonly known / technically "life expectancy at birth" / as "average life expectancy")

→ What is commonly known as "average life expectancy" is technically "life expectancy at birth."

239

**4**
고1 11월

필요한 것은 자녀들과 함께하는 적극적인 참여이다.
(with children / what is needed / active engagement / is)

236

→ _____

**5**
고2 11월 응용

그것을 다르게 만드는 것은 어린아이와 어른 사이의 상대적인 신장이다. (between a young child and an adult / is / what makes it different / the relative height)

237

→ _____

**6**
고2 9월

우리가 우리의 상황에 영향을 미칠 수 있는 힘을 가지고 있다는 것은 매우 용기를 북돋우는 생각이다. (to influence our circumstances / is / that we hold the power / a very reassuring thought)

230

→ _____

**구조+해석**    주어(S), 동사(V) 표시하고 해석하기

SAMPLE
고2 9월 응용

[How we see the world] depends on [what we want from it].
S(명사절: How+S+V ~)       V

→ 우리가 세상을 어떻게 볼지는 우리가 그것으로부터 무엇을 원하는지에 달려 있다.

1
고2 6월 응용

What benefits consumers can simultaneously increase unemployment and decrease wages.      simultaneously 동시에   unemployment 실업   wage 임금

→ _____

2
고2 11월 응용

Whether a customer's problem was solved immediately or not had an impact on the customer's perception.      immediately 즉시   perception 인식

→ _____

3
고2 9월 응용

What distinguishes recycling is not its importance.      distinguish 구별하다

→ _____

**구문+서술형**    조건에 맞게 표현 활용하여 영작하기

SAMPLE
고2 11월 응용

| 조건 | 접속사와 수동태를 포함할 것 / (money, see, wise decision, depend on)
그 비용이 분별 있는 결정으로 보일지 아닐지는 비교의 상황에 달려 있을 것이다.
→ Whether the money is seen as a wise decision or not will depend on **the context of comparison.**

4
고2 9월

| 조건 | 관계대명사를 포함할 것 / (say, yourself, influence)
당신이 스스로에게 말하는 것은 당신이 생각하는 것에 영향을 끼친다.
→ _____ **what you think.**

5
고1 11월

| 조건 | 관계대명사를 포함할 것 / (say, make)
그녀가 말한 것이 Victoria를 한동안 깊은 생각에 잠기게 만들었다.
→ _____ **Victoria fall into a deep thought for a while.**

6
고2 11월

| 조건 | 접속사를 포함할 것 / (like, separate, matter)      separate 별개의
당신이 그녀를 좋아하는지 아닌지는 그녀가 좋은 충고를 가지고 있는지 없는지와는 별개의 문제이다.
→ _____ **from whether she has good advice or not.**

**구조+해석**   가주어(S), 진주어(S') 표시하고 해석하기     본책 문장 LINK

SAMPLE
고1 11월 응용

> It / is / so important / for us ⟨to identify context⟩.    247
> S(가주어)      의미상 주어    S'(진주어: to부정사구)
>
> → 우리가 맥락을 확인하는 것이 매우 중요하다.

**1**
고2 3월 응용

It can be helpful to read your own essay aloud.    241

→ _____

**2**
고2 3월 응용

A year later, it was necessary to change the door lock.    244

→ _____

**3**
고2 3월

It is now apparent that we must move to an assisted-living facility.    250

→ _____

**4**
고1 11월 응용

It is not clear just where coffee originated or who first discovered it.    256

→ _____

**구문+서술형**   우리말과 같도록 표현 배열하기

SAMPLE
고2 6월 응용

> 일련의 새로운 상황들이 바람직할 것이라고 생각된다.    251
> (would be desirable / it / assumed / is / that a new set of conditions)
>
> → It is assumed that a new set of conditions would be desirable.

**5**
고2 3월 응용

그 사상들이 얼마나 비슷한가는 정말 매우 놀랍다.
(how similar the ideas are / is / it / indeed very striking)    255

→ _____

**6**
고2 9월 응용

그들이 다른 사람들의 눈을 통해서 완전히 그들 자신을 아는 것은 어렵다. (it / difficult / for them / fully through the eyes of others / is / to see themselves)    248

→ _____

**7**
고2 9월

당신이 차, 커피, 청바지 혹은 전화기를 사고 싶어 하는지는 중요하지 않다.
(whether you want to buy / it / tea, coffee, jeans, or a phone / doesn't matter)    253

→ _____

**8**
고2 9월

우리가 감정이 없는 삶을 상상하는 것은 거의 불가능하다.
(for us / is / it / nearly impossible / to imagine a life without emotion)    246

→ _____

**구조+해석** 가주어(S), 진주어(S′) 표시하고 해석하기

**SAMPLE**
고2 3월

It's / amazing [how hard some people find them to say].
S(가주어)                    S′(진주어: 명사절(how+형용사+S+V ~))

→ 몇몇 사람들이 그 말을 하는 것을 얼마나 어려워하는지는 놀랍다.

**1**
고2 3월 응용

It was logical to include me.

logical (논리적으로) 타당한

→ _____

**2**
고2 6월

It is often said that people make a living according to given circumstances.

make a living 생계를 유지하다

→ _____

**3**
고2 6월 응용

It wasn't known whether grains were cultivated for food or for some other reason.

cultivate 재배하다

→ _____

**4**
고2 11월 응용

It's still an emotional battle to change your habits and introduce new, uncomfortable behaviors.

introduce 시작하다  behavior 행동

→ _____

**구문+서술형** 가주어 it과 표현 활용하여 영작하기

**SAMPLE**
고2 6월

많은 경우에, 물속에 머리부터 뛰어들기보다는 발끝을 담그는 것이 현명하다.
(situation, wise, dip, toe, rather than, dive, headfirst)

→ In many situations, it's wise to dip your toe in the water rather than dive in headfirst.

**5**
고2 3월

에베레스트산 정상에 도달하는 것은 한때 놀라운 업적으로 여겨졌었다.
(once, consider, achievement, reach, summit, Mount Everest)

summit 정상

→ _____

**6**
고2 3월

실패의 경험은 학생들을 앞으로의 공부로부터 의욕이 떨어지게 할 것이라는 판단이 내려졌다.
(reason, experience, failure, would, discourage)

reason 판단하다

→ _____

**7**
고2 11월 응용

하루 동안 교실들과 학교 주변에서 아이들을 촬영하는 것은 가능하다.
(possible, film, in class)

film 촬영하다

→ _____

**8**
고2 6월 응용

우리의 부모님들이 종종 더 잘 아신다는 것을 잊기 쉽다.
(easy, forget, that, parents, better)

→ _____

## 구조+해석 · 비인칭 주어 또는 강조 구문 표시하고 문장 바르게 해석하기

본책 문장 LINK

**SAMPLE**
고2 9월

It is / not only beliefs, attitudes, and values [that are subjective].
It is       강조 어구(S)                    that+나머지 어구(V+C)

→ 주관적인 것은 신념, 태도, 가치관만이 아니다.

267

**1**
고2 3월

It was a beautiful September morning.

→ _____

261

**2**
고2 9월 응용

It was an unbearably hot Chicago day.

→ _____

257

**3**
고2 6월

It is not the temperature at the surface of the body which matters.

→ _____

272

**4**
고2 11월 응용

It seems that your cancellation request was sent to us after the authorized cancellation period.

→ _____

264

## 구문+서술형 · 우리말과 같도록 표현 배열하기

**SAMPLE**
고2 11월

1983년이었고 Sloop은 6학년이 되었다.
(the sixth grade / 1983 / it / was entering / and Sloop / was)

→ It was 1983 and Sloop was entering the sixth grade.

260

**5**
고2 9월 응용

여건이 개선된 것으로 보일 것이다.
(that conditions improved / it / would appear)

→ _____

263

**6**
고2 6월

반대 방향으로 움직이고 있는 것은 바로 그 두 번째 기차이다.
(that is moving / the second train / in the opposite direction / it / is)

→ _____

266

**7**
고2 11월 응용

바로 그 순간에, 내게 올바른 길을 알려준 사람은 바로 그였다.
(who showed me the right way / at that very moment, / was / it / he)

→ _____

273

**구조+해석** 비인칭 주어 또는 강조 구문 표시하고 문장 바르게 해석하기

**SAMPLE**
고2 6월 응용

It / was / raining cats and dogs.
S(비인칭 주어)                   날씨

→ 비가 억수처럼 내리고 있었다.

**1**
고2 3월 응용

It was a Saturday morning and we looked around.

→ _____

**2**
고2 9월 응용

While some years, it was Mark who stood first in the class.            stand first 일등을 하다

→ _____

**3**
고2 6월

It is the temperature deep inside the body which must be kept stable.
                                                         stable 안정된

→ _____

**4**
고2 11월

It seems that a car sometimes has a magnifying effect on the size of a person's
personal space.                                          magnify 확대하다

→ _____

**구문+서술형** 비인칭 주어 또는 강조 구문과 표현 활용하여 영작하기

**SAMPLE**
고2 9월 응용

사람들은 정치적 상황에서 발생하는 것에 대해 토론하는 데 더 많은 시간을 보내온 것 같다.
(seem, spend, discuss)

→ It seems that people have spent more time discussing _____ what is happening
  in the political environment.

**5**
고2 11월

누가 거기에 있기에는 너무 이른 아침이었다.
(too, early, the morning)

→ _____ for someone to be there.

**6**
고2 6월 응용

젊은 사람들은 건강한 것을 더 이상 병이 없는 것으로 보지 않는 것 같다.
(seem, view, good health)

→ _____ as an absence of illness.

**7**
고2 3월

왕들이 즉위하고, 그들의 권력을 부여받은 곳은 바로 이곳이었다.
(here, be crowned)                                        crown 왕위에 앉히다

→ _____ and granted their power.

ANSWERS p.16

# 5 주어의 자리바꿈

**구조+해석** 도치된 부분 표시하고 해석하기

본책 문장 `LiNK`

**SAMPLE**
고2 3월 응용

<u>Only some years later</u> / <u>did</u> / <u>the concept</u> / <u>become</u> / popular.
부사구　　　　　　 조동사　　　　 S　　　　　 V

`276`

→ 몇 년 후에야 비로소 그 개념은 대중화되었다.

**1**
고2 3월 응용

Following just behind the baby girl was the family's Alsatian dog.

`277`

→ _____

**2**
고1 11월 응용

There is a two-way interaction between the event and the context.

`281`

→ _____

**3**
고1 11월 응용

From plants come chemical compounds.

`274`

→ _____

**4**
고1 11월

Rarely are phone calls urgent.

`279`

→ _____

**구문+서술형** 우리말과 같도록 표현 배열하기

**SAMPLE**
고1 11월 응용

문화 상대주의에는 내재적인 논리적 모순이 존재한다.
(an inherent logical inconsistency / exists / in cultural relativism)

`282`

→ **There** exists an inherent logical inconsistency in cultural relativism .

**5**
고2 9월

여기에 아주 훌륭한 예가 있다.
(an excellent example / is)

`286`

→ Here _____ .

**6**
고2 6월 응용

나의 영수증과 보증서 사본들이 동봉되어 있다.
(copies of my receipts / are / and guarantees)

`278`

→ Enclosed _____ .

**7**
고1 11월

이전에는 이런 대상들이 화가들에게 적절하다고 여겨지지 않았다.
(had / appropriate for artists / been considered / these subjects)

`280`

→ Never before _____ .

**구조+해석** 도치된 부분 표시하고 해석하기

SAMPLE
고2 6월 응용

<u>There</u> / <u>are</u> / <u>43 photographs</u> / in this newspaper.
  There      V        S

→ 이 신문에는 43개의 사진들이 있다.

**1**
고2 3월 응용

Then there appeared before him a ragged man.
                                                     ragged 누더기를 걸친

→ _____

**2**
고2 9월

Standing behind them was Kathy, a beautiful five-year-old with long shiny brown hair and dark flashing eyes.             flashing 반짝이는

→ _____

**3**
고2 6월

With the introduction of improved agricultural equipment, there is less need for male muscular strength.        agricultural equipment 농업 장비   muscular 근육의

→ _____

**4**
고2 11월

Included within was a round-trip airline ticket to and from Syracuse and roughly $200 cash.          round-trip 왕복의   roughly 약, 대략

→ _____

**구문+서술형** 표현 활용하여 도치된 문장 쓰기

SAMPLE
고2 11월

사고하는 사람과 단지 학식이 있는 사람 사이의 차이가 이것에 있다.
(rest, distinction, thinker, scholar)            rest ~에게 있다

→ On this rests the distinction between the thinker and the mere scholar.

**5**
고1 11월 응용

그들 주변 세상의 많은 측면들이 있었다.
(there, aspect, world, around)            aspect 측면

→ _____

**6**
고2 3월 응용

진공청소기에는 진공이 없다.
(there, exist, no, vacuum, cleaner)          vacuum 진공

→ _____

**7**
고2 6월 응용

훈련된 무능력의 기저에는 다양성이 거의 없는 업무가 있다.
(root, trained incapacity, a job, variety)      root 기저   incapacity 무능력

→ _____

옳은 문장에 ✔

**1**
고2 3월

a Paying promptly will restore your membership to good standing.

b Pay promptly will restore your membership to good standing.

restore 회복하다

**2**
고2 9월

a That is quite likely that you will see many options and choices.

b It is quite likely that you will see many options and choices.

likely 가능성이 있는

**3**
고2 9월 응용

a To read critically means to read analytically.

b Read critically means to read analytically.

critically 비평적으로
analytically 분석적으로

**4**
고2 3월 응용

a What they had just eaten was rattlesnake salad.

b That they had just eaten was rattlesnake salad.

rattlesnake 방울뱀

**5**
고2 3월

a What also helps to hide poor choices in inconvenient places.

b It also helps to hide poor choices in inconvenient places.

inconvenient 불편한

**6**
고2 9월

a There are a biological explanation for this difference.

b There is a biological explanation for this difference.

biological 생물학적인

**7**
고2 6월 응용

a That isn't just information that travels through network connections.

b It isn't just information that travels through network connections.

**8**
고2 6월

a "It's not morning yet," Paul mumbled.

b "That's not morning yet," Paul mumbled.

mumble 웅얼거리다

# UNIT 6 목적어

| | | TRUE | FALSE |
|---|---|---|---|
| 1 | 명사(구)와 대명사는 문장의 목적어로 쓰일 수 있다. | ☐ | ☐ |
| 2 | 목적어로 쓰인 명사절을 이끄는 접속사 that은 종종 생략된다. | ☐ | ☐ |
| 3 | what절, that절, whether절, 의문사절 등의 명사절은 모두 문장의 목적어로 쓰일 수 있다. | ☐ | ☐ |
| 4 | to부정사구와 that절이 목적어 역할을 할 때, 가목적어 it을 쓸 수 있다. | ☐ | ☐ |
| 5 | 가목적어 it은 '그것'이라고 해석한다. | ☐ | ☐ |
| 6 | 목적어로 쓰인 재귀대명사는 생략할 수 있다. | ☐ | ☐ |
| 7 | 동명사(구)와 to부정사(구)는 둘 다 전치사의 목적어로 쓰일 수 있다. | ☐ | ☐ |
| 8 | 전치사구를 동반하여 특정한 의미로 쓰이는 동사들도 있다. | ☐ | ☐ |

## 1 명사와 명사구 목적어

**구조+해석**  동사(V)와 목적어(O) 표시하고 해석하기

본책 문장  LINK

**SAMPLE**
고2 6월 응용

At the entrance / he / keeps / taking photos with his cell phone.
                        V          O(동명사구)

294

→ 입구에서 그는 계속 자신의 휴대폰으로 사진을 찍는다.

**1**
고1 11월

He regretted fixing up the old man's bicycle.

303

→ _____

**2**
고2 9월 응용

Participants may forget to be nervous.

305

→ _____

**3**
고2 3월

I remember thinking to myself, "Well, I could do that."

304

→ _____

**4**
고2 9월

Jacob's partner looked at him and gave him the thumbs-down.

288

→ _____

**구문+서술형**  우리말과 같도록 표현 배열하기

**SAMPLE**
고1 11월

첫 번째 커브에서, 내 심장은 빠르게 뛰기 시작했다.
(my heart / at the first curve, / beating fast / started)

299

→ At the first curve, my heart started beating fast.

**5**
고2 6월 응용

Lucas는 시험 삼아 그녀를 설득하려고 해 보았다.
(reasoning / Lucas / with her / tried)

302

→ _____

**6**
고2 3월

나는 이곳에서 사는 것을 즐겨왔으며 계속해서 그렇게 하기를 희망한다.
(and hope / doing so / have enjoyed / I / living here / to continue)

292

→ _____

**7**
고2 3월

그녀는 다가오는 학급의 프로젝트를 이용하기로 결심했다. (to take advantage of /
for the class / she / decided / an upcoming project)

295

→ _____

**8**
고2 9월

이 문제들 중 일부는 수학자들을 시험하는 것을 현대까지 계속해 왔다. (have continued /
to challenge mathematicians / some of these problems / until modern times)

297

→ _____

**구조+해석** 동사(V)와 목적어(O) 표시하고 해석하기

**SAMPLE**
고2 6월

We / learned / to cook through trial and many errors.
　　　V　　　O(to부정사구)

trial and error 시행착오

→ 우리는 많은 시행착오를 통해서 요리하는 것을 배웠다.

**1**
고2 11월 응용

She refused to listen to her overworked body.

overworked 혹사당한

→ _____

**2**
고2 6월

You hope to get lost in a story or be transported into someone else's life.

get lost in ~에 몰입하다

→ _____

**3**
고2 11월

The natural world had thoughts, desires, and emotions, just like humans.

→ _____

**4**
고2 6월 응용

We can make an objective and informed decision.

informed 정보에 근거한

→ _____

**구문+서술형** 표현 활용하여 영작하기

**SAMPLE**
고2 9월 응용

두뇌는 청소년기에 걸쳐서 그리고 초기 성인기까지 계속해서 성숙하고 발달한다.
(brains, continue, mature, develop, adolescence, well into, adulthood)

→ Brains continue to mature and develop throughout adolescence and well into early adulthood.

**5**
고2 6월 응용

나는 여러 해 전에 마라톤 참가 준비한 것이 기억난다.
(remember, prepare, run a marathon, years ago)

years ago 여러 해 전에

→ _____

**6**
고2 6월 응용

디자이너는 우선 문제에 대한 현재의 상황들을 기록해야 한다.
(designer, first, document, existing, condition, of)

document 기록하다
existing 현재의

→ _____

**7**
고2 3월

한때 나는 내 아이들에게 완충 지대의 개념을 설명하려고 노력하고 있었다.
(on one occasion, try, explain, concept, buffers)

buffer 완충 지대

→ _____

**8**
고2 3월

그는 벌판을 가로질러, 어둠을 뚫고 계속해서 나를 따라왔다.
(keep, follow, through, dark, across)

→ _____

ANSWERS → p.18

**구조+해석**   동사(V)와 목적어(O) 표시하고 해석하기     본책 문장 LINK

**SAMPLE**
고2 9월

After a few weeks with Kathy, / I / <u>discovered</u> [I was dealing with a very
bright, very strong-willed child].
       V          O(명사절: (that+)S+V ~)

310

→ Kathy와 함께 한 몇 주가 지난 후, 나는 내가 매우 영리하고 매우 의지력이 강한 아이를 맡고 있다는 것을 발견했다.

**1**
고1 11월 응용

I doubted whether I could make it.

311

→ _____

**2**
고2 11월 응용

I wonder if it is possible to film children in classes for a day.

314

→ _____

**3**
고1 11월 응용

Most people will do what the salesperson asks.

316

→ _____

**4**
고2 11월

It determines the structure of conversations and who has access to what
information.

322

→ _____

**구문+서술형**   우리말과 같도록 표현 배열하기

**SAMPLE**
고1 11월 응용

그들은 자기 자손들에게 자신들이 배운 것을 가르쳤다.
(what they'd learned / taught / they / their own offspring)

317

→ They taught their own offspring what they'd learned.

**5**
고2 11월

Edison은 마케팅과 발명이 통합되어야 한다는 것을 알게 되었다.
(that marketing and invention / Edison / must be integrated / learned)

306

→ _____

**6**
고2 6월 응용

우리는 우리가 전달하는 것을 완전히 통제할 수 없다.
(what we communicate / cannot completely control / we)

315

→ _____

**7**
고2 11월 응용

그는 왜 그 동물이 탈출하려고 애쓰지 않는지를 물었다.
(asked / to escape / he / didn't try / why the beast)

318

→ _____

**8**
고2 11월

그녀는 친구들과 가족에게 연락해서 그들에게 100달러를 내어줄 수 있는지를 물었다.
(if they could spare $100 / she / to friends and family / and asked /
them / reached out)

313

→ _____

**구조+해석**　동사(V)와 목적어(O) 표시하고 해석하기

SAMPLE
고2 6월

In science, / we / can never really prove [that a theory is true].　　prove 증명하다
　　　　　　　　V　　　　　　　　　　　O(명사절: that+S+V ~)

→ 과학에서, 우리는 어떤 이론이 진리라는 것을 결코 실제로는 증명할 수 없다.

1
고2 3월 응용

We are mostly doing what we intend to do.　　intend 의도하다

→ _____

2
고2 11월 응용

Some marketers wondered whether the cake mixes were artificial-tasting.
　　　　　　　　　　　　　　　　　　　　　artificial-tasting 인공적인 맛이 나는

→ _____

3
고2 6월 응용

From this model they can tell us how old it is and where it came from.

→ _____

4
고2 6월 응용

For many years archaeologists believed that pottery was first invented in the Near East.　　archaeologist 고고학자　the Near East 근동 지역

→ _____

**구문+서술형**　조건에 맞게 표현 활용하여 영작하기

SAMPLE
고2 3월 응용

| 조건 | 접속사를 포함할 것 / (report, a plate of, spaghetti noddles, race)
그녀는 경주 전날 밤 스파게티 한 접시를 먹었다고 말했다.

→ She reported that she ate a plate of spaghetti noodles the night before a race.

5
고2 3월 응용

| 조건 | 관계대명사를 포함할 것 / (field of, genetics, show, suspect, for years)
유전학 분야는 많은 과학자가 여러 해 동안 의구심을 가져왔던 것을 우리에게 보여 주고 있다.

→ _____

6
고2 6월

| 조건 | 접속사를 포함할 것 / (realize, goldsmith, situation, isolated case)
Mill은 금 세공업자들의 상황이 유일한 사례가 아님을 깨달았다.　　goldsmith 금 세공업자　isolated 유일한

→ _____

7
고2 6월 응용

| 조건 | 의문사를 포함할 것 / (know, appreciate, contributions, local charity)　　contribution 공헌
나는 그 지역 자선 단체에 대한 당신 회사의 공헌에 대해 그들이 얼마나 많이 감사하는지를 알고 있다.

→ _____

8
고2 9월 응용

| 조건 | 접속사를 포함할 것 / (ask, someone, prefer, have, alternative)
우리는 누군가에게 그 또는 그녀가 더 많은 선택사항들을 가지는 것을 선호하는지를 묻는다.

→ _____

**구조+해석** 동사(V)와 목적어(O, O′) 표시하고 해석하기    본책 문장 LINK

SAMPLE
고2 11월 응용

> The disintermediated and transnational nature of blockchains / makes / it /
> difficult / to implement changes to a blockchain's software protocol.
> V   O(가목적어)
>    O′(진목적어: to부정사구)
> → 블록체인의 탈중개화되고 초국가적인 특성이 블록체인의 소프트웨어 프로토콜의 변경을 시행하는 것을 어렵게 한다.

327

**1**
고2 6월 응용

Doctors will almost always find it advantageous to hire someone else.   323

→ _____

**2**
고2 6월 응용

I found it remarkable that he had apparently not considered the question.   328

→ _____

**3**
고2 6월 응용

Masami found herself in a bad situation.   330

→ _____

**4**
고2 11월 응용

Creative companies are making it possible for their clients to share ownership and access to just about everything.   326

→ _____

**구문+서술형** 우리말과 같도록 표현 배열하기

SAMPLE
고1 11월

> 그는 수학, 자연 철학, 그리고 여러 언어를 독학했다. (and various languages /
> himself / he / mathematics, natural philosophy / taught)
> → He taught himself mathematics, natural philosophy and various languages.

334

**5**
고2 6월

나는 문이 없는 사무실에서는 창의적으로 되기가 어렵다고 늘 생각해 왔다.
(it / have always found / in a doorless office / hard / I / to be creative)   324

→ _____

**6**
고2 3월

나는 그녀의 영혼의 창인 그녀의 눈 속에서 나 자신을 가장 분명하게 본다.
(I / myself / most clearly in her eyes, / see / the windows to her soul)   332

→ _____

**7**
고2 3월 응용

사람들은 십 년이 지난 후 자신들이 더 많은 부를 만들어 낼 것으로 추정하는 것은 나쁜 선택이라고 생각했다. (it / ten years down the line / to assume / a bad bet / people / that they would be producing more wealth / considered)   325

→ _____

**구조+해석**  동사(V)와 목적어(O, O′) 표시하고 해석하기

SAMPLE
고2 9월

Women in that class / did not usually dress / themselves / but were dressed / by
　　　　　　　　　　　 　　　V　　　　　　O(재귀목적어)
maids.
　　　　　　　　　　　　　　　　　　　　　　　　　　　　　　　　maid 하녀

→ 그 계층의 여성들은 보통 스스로 옷을 입지 않았지만, 하녀들이 옷을 입혀주었다.

1
고2 9월 응용

Their organizations made it easier for them to do the good deeds.    good deed 선행

→ _____

2
고1 11월 응용

They make it clear that they value what other people bring to the table.

bring to the table ~을 제시하다

→ _____

3
고2 9월 응용

Presumably chicks find it easier to avoid distasteful prey.    presumably 아마도

chick 병아리   distasteful 맛없는

→ _____

4
고2 9월 응용

These furry pets can adapt themselves to the shape of the container.

furry 털로 덮인   adapt 조절하다

→ _____

**구문+서술형**  조건에 맞게 표현 활용하여 영작하기

SAMPLE
고2 3월 응용

| 조건 | 가목적어 it과 to부정사를 포함할 것 / (patient, find, easier, relax)
Freud는 그 개가 환자 옆에 앉아 있으면 환자가 더 쉽게 편안해했다는 것을 알아차렸다.

→ Freud noted that if the dog sat near the patient, _the patient found it easier to relax_ .

5
고2 6월

| 조건 | 재귀목적어를 포함할 것 / (adult, hold, those, standard)
어른들은 자신들을 그러한 기준들에 두지 않는다.    hold (어떤 상태에) 두다

→ _____

6
고2 9월 응용

| 조건 | 가목적어 it과 to부정사를 포함할 것 / (eliminate, competition, make, easier, build)
경쟁을 없애는 것은 모든 사람들이 장기적인 관계를 구축하는 것을 더 수월하게 만든다.

→ _____ the long-term

relationships.

7
고2 9월 응용

| 조건 | 가목적어 it과 to부정사를 포함할 것 / (language speaker, would consider, absurd, use)
많은 아프리카 언어 사용자들은 남성과 여성 친척 양쪽 모두를 묘사하는 데 'cousin'과 같은 한 단어
를 사용하는 것을 불합리하다고 여길 것이다.    absurd 불합리한

→ _____ a single word

like "cousin" to describe both male and female relatives.

**구조+해석**    전치사와 전치사의 목적어(O) 표시하고 해석하기     본책 문장   LINK

**SAMPLE**
고2 6월

> You / should use / the process / of testing the option / on a smaller scale.   `343`
>                           전치사           O(동명사구)
> → 당신은 선택을 좀 더 작은 규모로 시험해보는 과정을 활용해야 한다.

**1**
고2 9월

A $1 million prize will be awarded for solving each of these seven problems.   `342`

→ _____

**2**
고2 11월 응용

Unfortunately, many people tend to focus on what they don't have.   `351`

→ _____

**3**
고2 6월 응용

Maria told her coworkers about her daughter's latest project.   `335`

→ _____

**4**
고2 3월 응용

We had an instinctive awareness of what foods our body needed.   `348`

→ _____

**구문+서술형**    우리말과 같도록 표현 배열하기

**SAMPLE**
고1 11월

> 한 펭귄의 운명이 모든 나머지 펭귄들의 운명을 바꾼다.   `336`
> (all the others / alters / one penguin's destiny / the fate of)
> → One penguin's destiny alters the fate of all the others.

**5**
고2 11월

우리는 굶주리는 것에 대해 걱정할 필요가 없다.   `339`
(we / about starving / do not have to worry)

→ _____

**6**
고2 6월 응용

나는 그 결과가 어떠할지를 완전히 확신하지 못했다.   `344`
(how the outcome would be / I / was not fully convinced of)

→ _____

**7**
고2 6월 응용

부모들은 어디에 제한을 두고 어떻게 그것이 시행될지에 대해 반드시 합의해야 한다.   `346`
(where a limit will be set / parents / and how it will be enforced / must agree on)

→ _____

**8**
고2 6월

나의 동료와 그의 아내는 언제 집안일이 이루어져야 하는지에 대해 지속적인 갈등을 일으켰다. (my buddy and his wife / when the housework should get done / in constant conflict over / were)   `347`

→ _____

## 구조+해석 전치사와 전치사의 목적어(O) 표시하고 해석하기

**SAMPLE**
고2 9월

The limit and the consequence of breaking the limit / must be clearly presented /
　　　　　　　　　　　　　　　전치사　　O(동명사구)
to the child.　　　　　　　　　　　　　　　　　　　　　consequence 결과　present 제시하다
전치사　O(명사)
→ 제한과 그 제한을 깨뜨리는 것의 결과는 반드시 아이에게 분명하게 제시되어야 한다.

**1**
고2 6월

Time was determined by watching the length of the weighted rope.

weighted 무게를 단

→ _____

**2**
고2 6월 응용

The nature of a solution is related to how a problem is defined.　　define 정의하다

→ _____

**3**
고2 6월 응용

Those were able to enjoy wages far above what might be expected.　　far 훨씬

→ _____

**4**
고1 11월 응용

Intellectually humble people are open to finding information from a variety of sources.

→ _____

## 구문+서술형 조건에 맞게 표현 활용하여 영작하기

**SAMPLE**
고2 6월 응용

| 조건 | 전치사 of를 포함할 것 / (parents, boast, achievement)
그 부모들은 그들의 자녀들의 성취를 자랑하고 있다.　　　　　　boast 자랑하다

→ The parents are boasting of the achievements of their children.

**5**
고2 6월 응용

| 조건 | 전치사 from과 관계대명사를 포함할 것 / (much, interest, come, generate)
흥미 중 많은 부분이 당신이 만들어내고 있는 것으로부터 오고 있을 것이다.　　generate 만들어내다

→ _____

**6**
고2 3월

| 조건 | 전치사 by와 동명사를 포함할 것 / (feed, enemy, army, gain, strong advantage)
적에게 잘못된 정보를 제공함으로써, 영국군은 큰 이득을 얻었다.　　feed A B A에게 B를 제공하다

→ _____

**7**
고2 6월 응용

| 조건 | 전치사 about과 동명사를 포함할 것 / (enthusiastic, help with)
Alice는 그녀의 엄마의 크리스마스 이벤트를 돕는 것에 아주 열정적이었다.　　enthusiastic 열정적인

→ _____

**8**
고2 3월 응용

| 조건 | 전치사 about과 의문사를 포함할 것 / (expert, disagree, significantly, "best practice")
전문가들은 무엇이 '최선의 행위'인가에 대해 의견이 상당히 다를 수 있다.　　disagree 의견이 다르다

→ _____

**구조+해석** 동사(V), 목적어(O), 전치사구(전치사+O) 표시하고 해석하기   본책 문장 LINK

**SAMPLE**
고2 6월

We / thank / you / for agreeing / to play the music / for my daughter's
wedding on September 17.
전치사+O(동명사구)
358

→ 우리는 9월 17일에 열리는 제 딸의 결혼식에 음악을 연주하기로 동의한 것에 대해 당신에게 감사합니다.

**1**
고2 6월 응용

People commonly think of persuasion as deep processing.   354

→ _____

**2**
고2 6월 응용

The milk and meat provide people with much fat and protein.   359

→ _____

**3**
고2 11월 응용

The game prevented the initial traumatic memories from solidifying.   362

→ _____

**구문+서술형** 우리말과 같도록 표현 배열하기

**SAMPLE**
고2 3월

상상력이 풍부하다는 것은 우리에게 행복감을 주고 우리의 삶에 흥분을 더한다.
(to our lives / gives / feelings of happiness / being imaginative / us / and
adds excitement)
356

→ Being imaginative gives us feelings of happiness and adds excitement to our lives.

**4**
고2 6월

당신은 삶을 일련의 모험으로 보아야 한다.
(you / have to see / as a series of adventures / life)
352

→ _____

**5**
고1 11월 응용

그는 난로를 모든 나무 조각으로 채웠다.
(with every piece of wood / had filled / he / the stove)
361

→ _____

**6**
고2 11월 응용

숫자에 집중하는 것은 사람들을 자신의 몸과 조화를 이루는 것으로부터 분리한다.
(being in tune with / separates / focusing on / their body / numbers /
people / from)
363

→ _____

## 구조+해석 동사(V), 목적어(O), 전치사구(전치사+O) 표시하고 해석하기

**SAMPLE**
고2 9월 응용

Thank / you / for bringing your concerns to my attention.
　V　　　O　　　　　　　전치사+O(동명사구)

bring ~ to one's attention
~에 …가 주목하게 하다

→ 당신의 우려에 제가 주목할 수 있게 해 주셔서 당신에게 감사합니다.

---

**1**
고1 11월

Asians and many Native American cultures view silence as an important and appropriate part of social interaction.

interaction 상호 작용

→ _____

---

**2**
고2 9월 응용

They may be preventing their children from acquiring self-confidence, mental strength, and important interpersonal skills.

acquire 습득하다

→ _____

---

**3**
고2 3월 응용

Most coaches saw strength training as something for bodybuilders.

→ _____

---

## 구문+서술형 전치사와 표현 활용하여 영작하기

**SAMPLE**
고2 3월 응용

그는 달려가서 그녀를 껴안고 축하해 주는 것을 간신히 참을 수 있었다.
(barely, keep, himself, run up, hug, congratulate)

barely 간신히

→ He could barely keep himself from running up to hug and congratulate her.

---

**4**
고1 11월 응용

우리는 그를 실패자라고 생각하지 않는다.
(think of, failure)

failure 실패자

→ _____

---

**5**
고2 11월 응용

그는 그들에게 단어들의 목록을 제공했다.
(present, a list)

→ _____

---

**6**
고1 11월

신체 활동은 당신에게 더 많은 에너지를 주고 당신이 지치는 것을 막아준다.
(exercising, give, keep, feel, exhausted)

exhausted 지친

→ _____

---

옳은 문장에 ✓

**1**
고2 9월
a Winners never stop learning.
b Winners never stop to learn.

**2**
고2 9월 응용
a Sound waves are capable of to travel through many solid materials.
b Sound waves are capable of traveling through many solid materials.

sound wave 음파
solid 고체

**3**
고2 3월 응용
a Yolanda asked her grandmother if she could give her any tips.
b Yolanda asked her grandmother that she could give her any tips.

**4**
고2 6월
a Sailors believe it is bad luck to change a ship's name.
b Sailors believe that is bad luck to change a ship's name.

**5**
고2 6월 응용
a He didn't think that he could make his legs move.
b He didn't think what he could make his legs move.

**6**
고1 11월
a Thank you of staying with us.
b Thank you for staying with us.

**7**
고2 9월 응용
a He just kept to see that mother's face in his head.
b He just kept seeing that mother's face in his head.

**8**
고2 3월 응용
a Mondrian limited himself mostly to the three primaries.
b Mondrian limited him mostly to the three primaries.

primary 원색

### 핵심 개념 확인

| | | TRUE | FALSE |
|---|---|---|---|
| 1 | 형용사와 명사는 주어를 보충 설명하는 주격보어 자리에 올 수 있다. | ☐ | ☐ |
| 2 | 상태나 변화를 나타내는 동사는 주격보어로 부사를 사용한다. | ☐ | ☐ |
| 3 | 접속사 that과 whether 등이 이끄는 명사절은 주격보어로 쓸 수 있다. | ☐ | ☐ |
| 4 | 형용사는 목적어를 보충 설명하는 목적격보어 자리에 올 수 없다. | ☐ | ☐ |
| 5 | 동사 allow, force, advise 등은 목적격보어로 동사원형을 쓴다. | ☐ | ☐ |
| 6 | 사역동사 make, have, let은 목적격보어로 to부정사와 원형부정사를 둘 다 쓸 수 있다. | ☐ | ☐ |
| 7 | 지각동사는 목적격보어로 원형부정사 또는 현재분사를 쓸 수 있다. | ☐ | ☐ |
| 8 | 목적어와 목적격보어가 수동 관계일 때, 목적격보어로 현재분사를 사용한다. | ☐ | ☐ |

**구조+해석** 주어(S), 동사(V), 보어(C) 표시하고 해석하기  본책 문장 LINK

**SAMPLE**
고2 3월

She / immediately felt / important and useful.  [371]
S        V                    C(형용사구)

→ 그녀는 곧 자신이 중요하고 쓸모 있는 사람이라고 느꼈다.

**1**
고2 6월

We become boring, rigid, and hardened.  [369]

→ _____

**2**
고2 9월

Shah Rukh Khan is an Indian film actor and producer.  [376]

→ _____

**3**
고1 11월 응용

Carrying the same product in a black shopping bag feels heavier.  [370]

→ _____

**4**
고2 9월

His father was a music teacher and his mother was a singer and an amateur painter.  [377]

→ _____

**구문+서술형** 우리말과 같도록 표현 배열하기

**SAMPLE**
고2 6월

Martin Luther King Jr.는 위대한 사람이었다.  [378]
(a great man / was / Martin Luther King Jr.)

→ Martin Luther King Jr. was a great man.

**5**
고2 3월 응용

당신은 스스로에게 긍정적으로 이야기함으로써 자기 자신의 치어리더가 될 수 있다.  [380]
(you / by talking to yourself positively / your own cheerleader / can become)

→ _____

**6**
고2 11월 응용

뇌는 평생에 걸쳐 변화할 수 있는 상태로 남아 있다.  [372]
(remains / the brain / throughout the life span / changeable)

→ _____

**7**
고1 11월 응용

그녀의 엄마의 격려 덕분에, 그녀는 긍정적인 상태를 유지했다.  [373]
(positive / remained / with her mother's encouragement, / she)

→ _____

**8**
고2 3월 응용

우리의 일은 로봇에게 의존함으로써 질이 높아지게 된다.  [368]
(enriched / our jobs / by relying on robots / become)

→ _____

**구조+해석** 주어(S), 동사(V), 보어(C) 표시하고 해석하기

**SAMPLE**
고2 3월 응용

Habits / are / the backbone of any pursuit of excellence.
　　S　　V　　　　　　　C(명사구)

backbone 중추적인 역할
pursuit 추구

→ 습관은 그 어떤 탁월함의 추구에 있어서도 중추적인 역할을 한다.

**1**
고2 3월 응용

The wood of teak is particularly attractive.

attractive 매력적인

→ _____

**2**
고2 11월

Its sale is proof of utility, and utility is success.

proof 증거
utility 유용성

→ _____

**3**
고2 11월 응용

The online world is an artificial universe.

artificial 인공의

→ _____

**4**
고2 9월 응용

During her senior year in high school, Kathy became the Douglas County Rodeo Queen.

→ _____

**구문+서술형** 표현 활용하여 영작하기

**SAMPLE**
고2 9월 응용

당신의 바지를 '파란 청바지'라고 부르는 것은 거의 표현이 중복된 것처럼 보인다.
(call, pants, almost, seem, redundant)

redundant 중복되는

→ Calling your pants "blue jeans" almost seems redundant.

**5**
고2 11월 응용

그녀는 관객들 앞에서 점점 편안해졌다.
(grow, comfortable, audience)

audience 관객

→ _____

**6**
고1 11월 응용

탐구심은 미래 성공을 위한 핵심적인 요소이다.
(inquisitive mind, essential, ingredient)

inquisitive mind 탐구심
ingredient 요소

→ _____

**7**
고1 11월 응용

경제적인 관점에서 볼 때, 단기간의 행사는 혁신적인 행사가 될 수 있다.
(economic, perspective, short-lived, event, become, innovative)

→ _____

**8**
고2 3월

판매와 마케팅 사이의 차이는 아주 간단하다.
(difference, selling, marketing)

→ _____

## 2 주격보어: to부정사, 동명사, 명사절 REVIEW

**구조+해석** 주어(S), 동사(V), 보어(C) 표시하고 해석하기 본책 문장 LINK

**SAMPLE**
고2 3월

The balloon / seemed / to have a mind of its own. `387`
  S          V        C(to부정사구)
→ 풍선은 그것 스스로의 의지를 가진 것 같았다.

**1**
고2 6월 응용

Their challenge was to reverse their roles. `383`
→ _____

**2**
고2 9월

The problem is that the skills and the content are interconnected. `391`
→ _____

**3**
고1 11월

What I don't know is where I'm going. `397`
→ _____

**4**
고2 6월 응용

The tricky part is showing how special you are without talking about yourself. `389`
→ _____

**구문+서술형** 우리말과 같도록 표현 배열하기

**SAMPLE**
고2 6월 응용

첫 추종자가 외로운 괴짜를 지도자로 바꾸는 것이다.
(what transforms a lone nut into a leader / the first follower / is) `396`
→ The first follower is what transforms a lone nut into a leader.

**5**
고2 6월 응용

필요한 마케팅 과업은 일시적으로 혹은 영구적으로 수요를 줄이는 것이다. (to reduce demand / the needed marketing task / is / temporarily or permanently) `386`
→ _____

**6**
고2 9월 응용

주된 이점은 그들이 거의 모든 지구의 환경에 적응할 수 있다는 것이다. (that they can adapt / the primary advantage / to nearly all earthly environments / is) `393`
→ _____

**7**
고2 6월 응용

하나의 널리 받아들여지는 관점은 자기 이익이 모든 인간의 상호 작용의 기초가 된다는 것이다. (that self-interest / one widely held view / underlies / is / all human interactions) `392`
→ _____

**8**
고1 11월 응용

지적 겸손이란 당신이 인간이고 지식에 한계가 있다는 것을 인정하는 것이다.
(admitting you are human / is / and there are limits to the knowledge / intellectual humility) `390`
→ _____

**구조+해석**  주어(S), 동사(V), 보어(C) 표시하고 해석하기

**SAMPLE**
고2 9월

The disadvantage / is [that no single food / provides / the nutrition necessary for survival].
S           V                        C(that절: that+S+V ~)
nutrition 영양분   survival 생존

→ 불리한 점은 단 한 가지의 음식만으로는 생존에 필요한 영양분을 제공하지 못한다는 것이다.

**1**
고2 9월 응용

The original idea of a patent was not to reward inventors with monopoly profits.
patent 특허권   monopoly 독점

→ _____

**2**
고2 6월 응용

The aim of demarketing is not to completely destroy demand.
demarketing 반 마케팅   demand 수요

→ _____

**3**
고2 6월 응용

That's what the feedback from your body is able to give you.

→ _____

**4**
고2 3월 응용

The problem is that the seesaw can also tip the other way.
tip 기울어지다

→ _____

**구문+서술형**  조건에 맞게 표현 활용하여 영작하기

**SAMPLE**
고1 11월 응용

| 조건 | 동명사를 포함할 것 / (be willing to, work)
그것은 그러한 편견들을 극복하고자 기꺼이 노력하는 것이다.
be willing to 기꺼이 ~하다

→ It is being willing to work _____ to overcome those biases.

**5**
고2 11월 응용

| 조건 | 접속사를 포함할 것 / (have, relative, lack, flexibility)
그 코치의 비판적인 의견은 Conner가 상대적으로 유연성이 부족하다는 것이었다.
flexibility 유연성

→ The coach's critical opinion _____ .

**6**
고2 11월 응용

| 조건 | to부정사구를 포함할 것 / (seem, imply, unprecedented, revelation)
'획기적인 발견'이라는 말은 전례 없는 발견을 의미하는 것 같다.
imply 의미하다
unprecedented 전례 없는
revelation 발견

→ The word "breakthrough" _____ .

**7**
고2 11월 응용

| 조건 | 접속사와 수동태를 포함할 것 / (neuron, die, replace)
노화의 특징들 중 하나는 신경세포들이 죽고 대체되지 않는다는 것이다.
neuron 신경세포

→ One of the characteristics of aging _____ .

**8**
고2 6월

| 조건 | to부정사구를 포함할 것 / (repeat, in conversation)
이 원칙의 가장 효과적인 적용은 대화 중에 그것을 반복하는 것이다.

→ A powerful application of this principle _____ .

**ANSWERS** p. 23

**구조+해석** 동사(V), 목적어(O), 목적격보어(C) 표시하고 해석하기 본책 문장 LINK

**SAMPLE**
고2 3월 응용

Our automatic, unconscious habits / can keep / us / safe. `401`
                                   V     O    C(형용사)

→ 우리의 자동적이고 무의식적인 습관이 우리를 안전하게 지켜줄 수 있다.

**1**
고2 6월

Social psychologists call it social exchange theory. `407`

→ _____

**2**
고2 6월

It would make the festival more colorful and splendid. `402`

→ _____

**3**
고2 9월

That softness made jeans the trousers of choice for laborers. `404`

→ _____

**4**
고2 11월

Repetition makes us more confident in our forecasts and more efficient in our actions. `403`

→ _____

**구문+서술형** 우리말과 같도록 표현 배열하기

**SAMPLE**
고2 3월 응용

모든 사람들이 그를 A. Y.라고 불렀다. `406`
(called / A.Y. / everyone / him)

→ Everyone called him A. Y.

**5**
고2 6월

Arbore는 이 교류가 깊은 의미가 있다는 것을 알았다. `399`
(this exchange / found / Arbore / profound)

→ _____

**6**
고1 11월 응용

오늘날 전문가들은 근력 운동을 경기의 일부로 만들어 오고 있다. `405`
(strength training / have made / experts / today / part of the game)

→ _____

**7**
고2 11월 응용

우리는 특수효과들이 특히 흥미롭다는 것을 알게 된다. `400`
(especially interesting / find / we / special effects)

→ _____

**구조+해석**  동사(V), 목적어(O), 목적격보어(C) 표시하고 해석하기

SAMPLE
고2 6월

Accountants / call / it / *cost-benefit analysis*.
　　　　　　V　　O　　　　C(명사구)

accountant 회계사

→ 회계사들은 그것을 '비용-수익 분석'이라고 부른다.

**1**
고2 6월 응용

She finds parenting a hard task.

parenting 육아

→ _____

**2**
고1 11월 응용

We will leave the cups untouched.

untouched 그대로

→ _____

**3**
고2 3월

Being rejected for jobs does not make a job offer more likely.

reject 퇴짜 놓다
likely 가능성 있는

→ _____

**4**
고2 6월 응용

They make milky tea the most precious thing for the people in the northwest part of China.

precious 소중한

→ _____

**구문+서술형**  표현 활용하여 영작하기

SAMPLE
고2 9월 응용

이러한 충동은 실제로는 우리를 더 배려하게 만들지도 모른다.
(compulsion, make, caring)

compulsion 충동   caring 배려하는

→ This compulsion may actually make us more caring.

**5**
고2 9월 응용

우리는 지금 기계들이 지능을 가지고 있다고 기꺼이 말한다.
(readily, call, intelligent)

readily 기꺼이

→ _____

**6**
고1 11월 응용

점점 더 많은 사람들이 그것이 성취감을 주는 일이라는 것을 알게 된다.
(more and more, find, fulfilling, task)

fulfilling 성취감을 주는

→ _____

**7**
고2 11월 응용

몇몇 마을에서는, 지역제(地域制) 규칙들이 인위적인 진정성을 의무적인 것으로 만들 수도 있다.
(zoning code, may, artificial authenticity, compulsory)

compulsory 의무적인

→ _____

# 4, 5 목적격보어 : to부정사, 원형부정사, 현재분사, 과거분사 REVIEW

**구조+해석** 동사(V), 목적어(O), 목적격보어(C) 표시하고 해석하기

본책 문장 **LINK**

**SAMPLE**
고1 11월 응용

The teacher / told / the students / to be ready for the surprise test now!
　　　　　　V　　　　O　　　　　　　　　C(to부정사구) **414**

→ 선생님은 학생들에게 이제 깜짝 시험을 준비하라고 말했다!

**1**
고2 3월

Suddenly, I noticed a man with long hair secretly riding behind me. **426**

→ _____

**2**
고2 11월

Maria saw the cheer disappear from Alice's face at the news. **423**

→ _____

**3**
고1 11월 응용

Participation allows individuals to demonstrate a belonging. **415**

→ _____

**4**
고2 3월 응용

Mammals and birds commonly make their presence felt by sound. **430**

→ _____

**구문+서술형** 우리말과 같도록 표현 배열하기

**SAMPLE**
고2 9월 응용

그는 어린 소년이 바닥에 누워 있는 것을 볼 수 있었다.
(lying on the floor / he / a little boy / could see) **427**

→ He could see a little boy lying on the floor.

**5**
고2 3월 응용

당신의 상상력은 당신이 당면한 과업을 완수하도록 집중하게 해 줄 것이다. (will keep / completing the tasks at hand / focused on / your imagination / you) **431**

→ _____

**6**
고2 3월

Mary는 그 집의 실내가 매력적으로 보이기를 원했다.
(Mary / wanted / to look attractive / the interior of the house) **408**

→ _____

**7**
고2 9월 응용

항생제와 예방 접종이 우리를 더 오래 살게 한다.
(us / antibiotics and vaccinations / keep / living longer) **428**

→ _____

**8**
고2 9월

그녀의 절박하고 다급한 목소리는 Jacob이 즉시 건물로 진입하는 것을 결심하도록 만들었다.
(Jacob / made / decide to enter the building instantly / her desperate and urgent voice) **419**

→ _____

기출 문장 + 구문 훈련

**구조+해석** 동사(V), 목적어(O), 목적격보어(C) 표시하고 해석하기

SAMPLE
고2 3월

Looking around over the past month / has made / me / [realize ⟨how old and
                                        V          O      C(원형부정사구)
dull the paint has become⟩].                              look around 둘러보다   dull 흐릿한

→ 지난 한 달 동안 둘러보는 것은 내가 페인트가 얼마나 오래되고 흐려졌는지를 깨닫게 했다.

**1**
고2 6월 응용

He got the ring appraised for $4,000.                                    appraise 평가하다

→ _____

**2**
고2 3월 응용

Would you expect the physical expression of pride to be biologically based?

→ _____

**3**
고2 3월 응용

They have helped us see things in our right perspectives.                perspective 관점

→ _____

**4**
고2 3월

The people in the elevator have to notice the actor picking up the coins and
pencils on the floor.

→ _____

**구문+서술형** 표현 활용하여 영작하기

SAMPLE
고1 11월

집중을 방해하는 것들이 당신이 화자의 말을 주의 깊게 듣는 것을 방해하게 두지 마라.
(let, distraction, interrupt, attentive listening)          distraction 집중을 방해하는 것

→ Don't let distractions interrupt your attentive listening to the speaker.

**5**
고2 11월 응용

그 소년은 조련사가 지나가고 있는 것을 보았다.
(see, trainer, pass by)

→ _____

**6**
고2 3월 응용

당신은 당신의 컴퓨터가 당신의 에세이를 당신에게 읽어 주도록 할 수 있다.
(have, computer, read, essay)

→ _____

**7**
고2 3월

신체적인 문제는 선수가 형편없이 경기하게 만들고 있을 수도 있다.
(physical, may, cause, do, poorly)                          physical 신체적인

→ _____

**8**
고2 9월 응용

Jacob은 그 소년의 심장이 뛰고 있는 것을 느낄 수 있었다.
(feel, heart, pound)                                        pound (심장이) 뛰다

→ _____

옳은 문장에 ✓

**1**

고2 6월 응용

a  Sometimes you hear people say things like 'evolution is only a theory.'

b  Sometimes you hear people to say things like 'evolution is only a theory.'

**2**

고2 3월 응용

a  I couldn't keep them straightly in my mind.

b  I couldn't keep them straight in my mind.

keep ~ in mind ~을 기억하다
straight 정확한

**3**

고2 11월 응용

a  The key is to help people let go of the constant tension.

b  The key is help people let go of the constant tension.

constant 끊임없는
tension 긴장감

**4**

고2 6월 응용

a  The hard part is getting the field prepared.

b  The hard part is getting the field preparing.

field 밭
prepare 준비하다

**5**

고2 11월 응용

a  We can help our bodies healing and growing even faster.

b  We can help our bodies heal and grow even faster.

heal 치유되다

**6**

고2 11월 응용

a  Calorie restriction can cause your metabolism slowing down.

b  Calorie restriction can cause your metabolism to slow down.

restriction 제한
metabolism 신진대사

**7**

고2 6월

a  Our work is really quite simply.

b  Our work is really quite simple.

**8**

고2 11월 응용

a  They enable people to store data.

b  They enable people store data.

store 저장하다

# UNIT 8 수식어-형용사

## 핵심 개념 확인

|  |  | TRUE | FALSE |
|---|---|:---:|:---:|
| 1 | 형용사는 명사와 대명사를 항상 앞에서 수식한다. | ☐ | ☐ |
| 2 | to부정사는 '~할' 또는 '~하는' 이라는 의미로 형용사처럼 명사를 뒤에서 수식할 수 있다. | ☐ | ☐ |
| 3 | 현재분사는 '~해진, ~된, ~한'의 의미로 수식하는 명사와 수동 관계를 나타낸다. | ☐ | ☐ |
| 4 | 목적어, 보어, 부사 등의 다른 어구를 수반하는 분사구는 명사를 뒤에서 수식한다. | ☐ | ☐ |
| 5 | 관계대명사 that, who, which 등이 이끄는 절은 선행사 없이 단독으로 쓰이는 명사절이다. | ☐ | ☐ |
| 6 | 관계부사가 이끄는 절은 시간, 장소, 이유 등을 나타내는 선행사를 수식하는 형용사절이다. | ☐ | ☐ |
| 7 | 「콤마+관계대명사절」은 명사(구) 형태의 선행사만 보충 설명한다. | ☐ | ☐ |
| 8 | 한 문장에 둘 이상의 관계사절이 함께 올 수 없다. | ☐ | ☐ |

**구조+해석**    형용사 수식어와 수식 대상에 표시하고 해석하기    본책 문장 LINK

SAMPLE
고2 6월 응용

Ultimately / not giving attention / to recovery and maintenance / resulted in / long-term negative consequences.    434

형용사구 ↝    명사

→ 궁극적으로 회복과 유지보수에 주의를 기울이지 않은 것은 장기간의 부정적인 결과들을 초래했다.

**1**
고2 9월 응용

Something large could have come so close to him without his knowing.    437

→ _____

**2**
고2 6월

We look forward to receiving a positive reply.    433

→ _____

**3**
고2 3월

The desire for fame has its roots in the experience of neglect.    440

→ _____

**4**
고2 11월

It is a personal decision to stay in control and not to lose your temper.    445

→ _____

**구문+서술형**    우리말과 같도록 표현 배열하기

SAMPLE
고2 11월

크라우드 펀딩은 기업 자금 조달의 민주화로 여겨질 수 있다.    442
(as the democratization / of business financing / can be viewed / crowdfunding)

→ Crowdfunding can be viewed as the democratization of business financing.

**5**
고2 6월 응용

그는 그들에게 급진적인 무엇인가를 하도록 요청하였다.    438
(something / them / to do / asked / he / radical)

→ _____

**6**
고2 3월 응용

민간 항공기는 일반적으로 도로와 유사한 항로로 운항한다.    436
(airways / generally travel / commercial airplanes / similar to roads)

→ _____

**7**
고2 3월 응용

유칼립투스 잎 속의 화합물이 코알라들을 몽롱한 상태로 만들었다. (in eucalyptus leaves / in a drugged-out state / the compounds / koalas / kept)    443

→ _____

**8**
고1 11월 응용

Turner는 곤충이 학습할 수 있다는 것을 발견한 최초의 사람이었다. (to discover / the first / was / person / that insects are / Turner / capable of learning)    447

→ _____

구조+해석 형용사 수식어와 수식 대상에 표시하고 해석하기

SAMPLE
고2 11월

Deafness / does not mean [that you can't hear, / only that there is / something
                                                                           대명사
wrong / with the ears].
└─ 형용사
→ 귀먹음이란 당신이 들을 수 없다는 것이 아니라, 귀에 잘못된 무언가가 있다는 것을 의미할 뿐이다.

1
고2 6월

"Survivorship bias" is a common logical fallacy.                    fallacy 오류

→ _____

2
고2 6월

The breeding season occurs at the end of the wet season around May.
                                                        breeding season 번식기

→ _____

3
고2 3월

The availability of different types of food is one factor in gaining weight.

→ _____

4
고2 3월

Actually, he was doing the work, but there wasn't enough heat to start a fire.

→ _____

구문+서술형 표현 활용하여 영작하기

SAMPLE
고2 3월 응용

의학 기술의 향상은 인구 집단의 균형점을 이동시킨다.
(improvements, medical technology, shift, balance, population)       shift 이동시키다

→ Improvements in medical technology shift the balance of population.

5
고2 11월

향기는 행복한 상태를 촉진하는 힘을 가지고 있다.
(scents, the power, stimulate, states of well-bing)                 stimulate 촉진하다

→ _____

6
고2 6월 응용

훌륭한 연기력을 가지고 있는 사람들은 우리의 복잡한 사회적 환경을 더 잘 헤쳐 나갈 수 있다.
(with, excellent, acting skills, better navigate, complex, social environments)

→ _____

7
고2 11월 응용

당신의 이야기를 듣는 사람은 당신이 가치 있는 어떤 것을 말할 것이라고 무의식적으로 신뢰한다.
(listener, unconsciously, trust, say, something, worthwhile)    unconsciously 무의식적으로

→ _____

8
고2 3월 응용

인류의 구성원 대다수는 화가가 될 수 있는 능력을 잃어버렸다.
(most, members, human race, lose, capacity, be, painters)          capacity 능력

→ _____

ANSWERS → p.26

## 2 형용사(구): 현재분사, 과거분사 REVIEW

**구조+해석** 분사(구)와 수식 대상에 표시하고 해석하기

본책 문장 LINK

**SAMPLE**
고2 9월 응용

The total amount / was on the rise / during the given period.
과거분사 → 명사

460

→ 그 총량은 주어진 기간 동안에 증가하고 있었다.

**1**
고2 3월 응용

Collisions between aircraft usually occur in the surrounding area of airports.

450

→ _____

**2**
고2 11월

Hearing is basically a specialized form of touch.

459

→ _____

**3**
고2 3월 응용

The contemporary Buddhist teacher Dainin Katagiri wrote a remarkable book called *Returning to Silence*.

465

→ _____

**4**
고2 11월 응용

Psychologist John Bargh did an experiment showing human perception can be influenced by external factors.

457

→ _____

**구문+서술형** 우리말과 같도록 표현 배열하기

**SAMPLE**
고2 3월 응용

그의 아버지는 커가는 소년은 밤 내내 푹 자야 한다고 생각했다. (through the night / boy / thought / the growing / his father / should sleep soundly)

452

→ His father thought the growing boy should sleep soundly through the night.

**5**
고2 11월 응용

그녀는 멀리 살고 있는 외아들이 있었고, 그를 몹시 그리워했다.
(an only son / she / and missed him / living far away / had / a lot)

455

→ _____

**6**
고2 9월 응용

그러한 지식은 현존하는 기후 모형을 개선할 것이다.
(existing / such knowledge / climate models / may improve)

449

→ _____

**7**
고2 9월

그는 독특한 연주 방법으로 알려진 바이올린 연주자이자 작곡가였다. (known for / was / a violinist and composer / he / his unique performance method)

464

→ _____

**8**
고2 3월

연극계를 둘러싸고 있는 많은 미신들이 있다.
(many superstitions / the world of the theater / there are / surrounding)

454

→ _____

**구조+해석**　분사(구)와 수식 대상에 표시하고 해석하기

**SAMPLE**
고1 11월응용

> Revenue 〈covering the operating costs〉 is generated / through public taxes.
> 　　　　명사　　ᄂ 현재분사구
> → 그 운영비를 충당하는 재원은 공적인 세금을 통해서 발생된다.

**1**
고2 3월

I found a deserted cottage and walked into it.

→ _____

deserted 버려진
cottage 오두막

**2**
고2 11월응용

Your body will connect these relaxed feelings with the usage of that specific scent.

→ _____

**3**
고1 11월

The games will be attended by many college coaches scouting prospective student athletes.

→ _____

prospective 유망한

**4**
고1 11월응용

Actions are restricted by the role responsibilities and obligations associated with individuals' positions within society.

→ _____

restrict 제한하다

---

**구문+서술형**　표현 활용하여 영작하기

**SAMPLE**
고2 3월

> 나는 출판사에 보내진 자료 중 1% 미만이 출판되는 것으로 추산한다.
> (less than, material, send, publishers, ever, publish)
> → I would estimate that less than one percent of the material sent to publishers is ever published.

material 자료

**5**
고2 11월응용

문화적 세계화는 인도에서 제작된 Bollywood 영화와 같이 아시아에 다수의 중심지를 가진다.
(multiple, centers, make, India)

→ Cultural globalization has _____ .

multiple 다수의

**6**
고2 3월응용

서구와의 접촉이 아주 적은 고립된 인구 집단은 정확하게 그 신체 신호를 알아본다.
(isolate, populations, with, minimal, Western contact)

→ _____ accurately identify the physical signs.

isolate 고립시키다

**7**
고2 9월응용

Rivera는 그 타오르는 실린더를 움켜쥐고 비행갑판 끝으로 향했다.
(grab, burn, cylinder)

→ _____ and headed for the edge of the flight deck.

burn (불이) 타오르다

**8**
고2 3월응용

그 개의 존재는 아이 환자와 십 대 환자들을 안정시키는 효과가 있었다.
(presence, be, calm, influence)

→ _____ on child and teenage patients.

calm 안정시키다

**구조+해석**  관계대명사절과 수식 대상 표시하고 해석하기                본책 문장 LINK

SAMPLE
고2 6월

Male impalas / have / long and pointed horns [which can measure 90    468
centimeters in length].
선행사              관계대명사절(which+V ~)

→ 수컷 임팔라는 길이가 90센티미터인 길고 뾰족한 뿔을 가지고 있다.

---

**1**
고2 3월

Any manuscript that contains errors stands little chance at being    470
accepted for publication.

→ _____

---

**2**
고2 3월

Most publishers will not want to waste time with writers whose    471
material contains too many mistakes.

→ _____

---

**3**
고2 3월

Only children who choose and evaluate for themselves can truly    469
develop their own aesthetic taste.

→ _____

---

**4**
고2 9월

In all these situations, we are basically flooded with options from which    480
we can choose.

→ _____

---

**구문+서술형**  우리말과 같도록 표현 배열하기

SAMPLE
고2 3월

내가 미디어 업계에서 알고 있는 지도자 중 다수가 지적이고, 유능하고, 정직하다.    478
(are / I know / many of the leaders / intelligent, capable, and honest /
in the media industry)

→ Many of the leaders I know in the media industry are intelligent, capable, and honest.

---

**5**
고2 9월

우리의 청소 장소 목록을 보고 당신이 원하는 장소를 선택하세요. (our list / you want /    476
of cleanup locations / view / the location / and choose)

→ _____

---

**6**
고1 11월응용

행사들은 오랜 시간 동안 있어 왔던 기존의 맥락에 의존한다. (depend on / events /    467
which has been / an existing context / for a long time)

→ _____

---

**7**
고2 9월응용

관광업이 기후 변화에 영향을 끼치는 많은 방식들과 공간적 위계가 있다.    479
(tourism / many ways and spatial scales / there are / climate change /
contributes to / at which)

→ _____

---

**8**
고2 3월

코알라는 그것의 뇌가 겨우 두개골의 절반을 채운다고 알려진 유일한 동물이다.    472
(only fills / whose brain / the koala / is / half of its skull / the only
known animal)

→ _____

**구조+해석** 관계대명사절과 수식 대상 표시하고 해석하기

SAMPLE
고2 6월

One way [in which other people shape who you are] is described / by Leon
　　　　선행사　　　전치사+관계대명사절
Festinger's theory.

→ 다른 사람들이 당신이 누구인지를 형성하는 한 가지 방법은 Leon Festinger의 이론에 의해 설명된다.

**1**
고2 6월 응용

The students consider you the musician who has influenced them the most.

→ _____

**2**
고2 3월 응용

The distance at which this happens is consistent, and Hediger claimed to have
measured it precisely for some of the species that he studied.　　consistent 일관된

→ _____

**3**
고2 11월 응용

The behavioral intention that could result from this is to support a program.

→ _____

**4**
고2 3월 응용

Environmental factors narrow the range of things we can do with our lives.
　　　　　　　　　　　　　　　　　　　　　　　　　　　narrow 좁히다

→ _____

**구문+서술형** 조건에 맞게 표현 활용하여 영작하기

SAMPLE
고2 3월 응용

| 조건 | 관계대명사를 포함할 것 / (with, self-employed, be more likely to, entrepreneurs)
자영업을 하는 부모를 가진 사람들이 기업가가 될 가능성이 더 높다.　　entrepreneur 기업가

→ People with parents who were self-employed are more likely to become entrepreneurs.

**5**
고2 11월 응용

| 조건 | 관계대명사를 생략할 것 / (may, look like, the sea captains' mansions, imitate)
이 주택들은 그것들이 모방하고 있는 선장의 저택처럼 보일 수도 있다.　　imitate 모방하다

→ _____

**6**
고2 3월 응용

| 조건 | 관계대명사를 생략할 것 / (there, a finite range of, perform, effectively)
우리가 효과적으로 수행할 수 있는 한정된 범위의 직업들이 있다.　　perform 수행하다

→ _____

**7**
고2 11월

| 조건 | 관계대명사를 포함할 것 / (Stone Age, see, mortal, danger, be, there)
우리의 석기 시대의 뇌는 거기에 존재하지 않는 치명적인 위험을 본다.　　mortal 치명적인

→ _____

**8**
고2 6월 응용

| 조건 | 「전치사+관계대명사」를 포함할 것 / (investigate, extent, cheating, college, occur, exams)
그녀는 시험에서 대학생들에 의한 부정행위가 발생하는 정도를 조사하고 있다.　　investigate 조사하다

→ _____

ANSWERS p.27

**구조+해석**  관계부사절과 수식 대상 표시하고 해석하기                                본책 문장 LINK

**SAMPLE**
고2 9월

In the late 1990s, / a family / visited / the public elementary school [where    486
                                                     선행사                    관계부사절
I taught deaf students].
(where+S+V ~)
→ 1990년대 후반에, 한 가족이 내가 청각 장애인을 가르치는 공립 초등학교로 방문하였다.

**1**
고1 11월

The way we communicate influences our ability to build strong and    492
healthy communities.

→ _____

**2**
고2 9월 응용

The bath is a time when the child is comfortable with her imagination.    482

→ _____

**3**
고2 9월

The reason these things don't happen is that the strength of gravity's    496
pull depends on two things.

→ _____

**구문+서술형**  우리말과 같도록 표현 배열하기

**SAMPLE**
고2 6월 응용

최근에, 몇몇 연구자들은 사람들이 칭찬받는 방식이 매우 중요하다는 것을 발견했다.    495
(found / recently, / is / that / very important / how people are praised /
some researchers)
→ Recently, some researchers found that how people are praised is very important.

**4**
고2 3월

그것은 사람들이 살아가는 방식에 질적인 변화를 가져온다.    491
(brings / qualitative changes / people live / it / in the way)

→ _____

**5**
고2 6월

한 연구자가 벗어난 행동을 연구하는 상황을 생각해 보자.    487
(where / consider / an investigator / is studying / a situation / deviant behavior)

→ _____

**6**
고1 11월

이러한 순환은 생명이 수백만 년 동안 우리 지구에서 번창해 왔던 근본적인 이유이다.    490
(the fundamental reason / on our planet / this cycle / life has thrived /
for millions of years / why / is)

→ _____

**구조+해석** 관계부사절과 수식 대상 표시하고 해석하기

SAMPLE
고2 9월

He / always dreamed of / a place [where animals could roam free and live in caring conditions].
선행사　관계부사절(where+S+V ~)　　　　　　　roam (이리저리) 돌아다니다

→ 그는 동물들이 돌봐주는 환경에서 자유롭게 돌아다니고 살 수 있는 장소를 항상 꿈꿨다.

1
고2 3월

He had only become a dog-lover in later life when Jofi was given to him by his daughter Anna.

→ _____

2
고2 6월 응용

The way we present ourselves can speak more eloquently of the skills we bring to the table.
eloquently 설득력 있게　bring to the table ~에 기여하다

→ _____

3
고2 3월 응용

One of the reasons world-class golfers are head and shoulders above the other golfers of their era is that they are in so much better shape.
era 시대

→ _____

**구문+서술형** 관계부사와 표현 활용하여 영작하기

SAMPLE
고2 3월 응용

이 변화가 노인들이 어둠 속에서 그만큼 잘 보지 못하는 한 가지 이유이다.
(reason, older adults, see, as well)

→ This change is one reason why older adults do not see as well in the dark .

4
고2 3월 응용

우리는 그녀가 필요로 하는 도움을 받을 수 있는 생활 보조 시설로 이사해야 한다.
(assisted-living facility, receive, the help)

→ We must move to _____ she needs.

5
고2 6월

저는 2018년 5월 3일 당신이 Four Hills Plaza에 있는 저희 레스토랑에 고객으로 오셨을 때, 당신이 불쾌한 일을 경험하셨던 것을 알게 되었습니다. (you, be, guest, restaurant)

→ I understand that on May 3, 2018 _____
in the Four Hills Plaza, you experienced an unfortunate incident.

6
고2 9월 응용

새로운 연구는 우리가 세상을 보는 방식은 우리가 그로부터 무엇을 원하는지에 달려있다고 제시한다.
(see, the world, depend on)

→ New research suggests that _____
what we want from it.

## 5 콤마+관계사절

**구조+해석** 관계사절과 선행사 표시하고 해석하기

본책 문장 LINK

**SAMPLE**
고2 6월 응용

Glucose / raises / insulin levels, [which initially raises levels of leptin].
선행사(절)       관계대명사절(which+V ~)

→ 포도당은 인슐린 수치를 높이는데, 그것은 처음에는 렙틴의 수치를 높인다.

506

**1**
고2 11월 응용

A building had occupied this same spot some two-and-a-half thousand years earlier, when it was part of a wooded sanctuary.

511

→ _____

**2**
고2 6월

Harris talked to a lawyer, who helped him put the money in a trust.

499

→ _____

**3**
고2 9월 응용

Khan spent much of his time at Delhi's Theatre Action Group, where he studied acting.

508

→ _____

**구문+서술형** 우리말과 같도록 표현 배열하기

**SAMPLE**
고2 6월 응용

차는 유목민들의 기본적인 필수 요소들을 보충하는데, 그들의 식단은 채소가 부족하다.
(the basic needs / whose diet / supplements / of the nomadic tribes, / lacks vegetables / tea)

→ Tea supplements the basic needs of the nomadic tribes, whose diet lacks vegetables.

501

**4**
고2 3월 응용

우리는 '가공품들'을 만들어내는데, 그것들은 기술의 중요한 한 측면을 형성한다.
(we / an important aspect / create / which form / _artifacts_, / of technologies)

500

→ _____

**5**
고2 6월

한 목사가 갓 태어난 쌍둥이 중에 한 명이 아픈 이야기를 들려주고 있었다. (was ill / was sharing / a story about newborn twins, / a priest / one of whom)

504

→ _____

**6**
고2 11월 응용

그녀의 친척 중 한 명은 사립 미술학교를 운영했고, 이것은 Lotte가 소묘를 배우도록 해 주었다. (which allowed Lotte / one of her relatives / a private painting school, / ran / to learn drawing)

505

→ _____

**7**
고2 6월

1862년에 그는 Harper's Weekly의 직원으로 들어갔고, 그곳에서 그는 정치 만화에 대한 그의 노력을 집중했다. (his efforts / in 1862 / of _Harper's Weekly_, / joined the staff / he / on political cartoons / where he focused)

507

→ _____

**구조+해석** 관계사절과 선행사 표시하고 해석하기

SAMPLE
고2 3월 응용

This problem / causes / another subtle imbalance, [which triggers another].
　　　　　　　　　　　　　선행사　　　　　　　　　　관계대명사절(which+V ~)　　　subtle 미묘한

→ 이 문제는 또 다른 미묘한 불균형을 유발하고, 그것이 또 다른 불균형을 유발한다.

**1**
고1 11월 응용

Knowledge relies on judgements, which you discover in conversation with other people.　　　　　　　　　　　　　　　　　　　　　judgement 판단

→ _____

**2**
고2 11월 응용

Bahati lived in a small village, where baking bread for a hungry passerby is a custom.　　　　　　　　　　　　　　　　　　　　　passerby 행인

→ _____

**3**
고2 11월

Nearby, a woman was wailing and clutching a little girl, who in turn hung on to her cat.　　　　　　　　　　　　　　　wail 울부짖다  in turn 또한, 결국

→ _____

**구문+서술형** 관계사와 표현 활용하여 영작하기

SAMPLE
고2 3월 응용

사람들은 음식을 장기간 보관할 수 있고, 그것은 가진 자와 가지지 못한 자로 이루어진 사회를 만들어 낸다. (store, long periods, create, society, haves and have-nots)　　　store 보관하다

→ People can store food for long periods, which creates a society with haves and have-nots.

**4**
고2 11월 응용

그는 University College London을 다녔고, 그곳에서 그는 물리학을 공부했다.
(attend, physics)　　　　　　　　　　　　　　　　　　　　physics 물리학

→ _____

**5**
고1 11월

우리는 스포츠 경기의 결과를 예측할 수 없고, 이것은 매주 달라진다.
(predict, outcomes, sporting contests, vary, from week to week)　　　predict 예측하다

→ _____

**6**
고2 3월 응용

고객 만족은 직원들의 태도에 달려 있으며, 그들은 고객에 대한 회사의 얼굴이다.
(client satisfaction, depend on, attitudes, employees, customers)

→ _____

**7**
고2 6월 응용

그 곰팡이는 *penicillium notatum*종에서 나왔는데, 그것이 그 박테리아를 죽였었던 것이다.
(mold, from, the *penicillium notatum* species, kill, bacteria)　　　mold 곰팡이

→ _____

구조+해석  관계사절과 선행사 표시하고 해석하기　　　　　　본책 문장 LINK

**SAMPLE**
고2 9월 응용

That's / the kind of question [that could win a scientist / an Ig Nobel Prize / 518
　　　　　선행사₁　　　　 관계대명사절₁(that+V ~)
that honors / research / that makes people laugh, then think]." 선행사₂
관계대명사절₂(that+V ~) 선행사₃ 관계대명사절₃(that+V ~)

→ 그것은 과학자에게 '사람들을 웃게 한 후 생각하게 만드는' 연구에 경의를 표하는 이그 노벨상을 가져다줄 수
있는 종류의 질문이다.

**1**
고2 11월 응용

Something happened early in the semester that is still in her memory. 513

→ _____

**2**
고2 3월 응용

Kluckhohn tells of a woman he knew in Arizona who took a perverse 515
pleasure in causing a cultural response to food.

→ _____

**3**
고2 9월 응용

People who are frank and open and who share their knowledge with 516
others can be considered as the self-disclosing type.

→ _____

구문+서술형  우리말과 같도록 표현 배열하기

**SAMPLE**
고2 6월 응용

신경학적으로, 흥분과 에너지의 강력한 분출을 유발하는 화학물질들이 뇌에서 분비된다. 514
(released / of excitement and energy / chemicals are / neurologically, /
that give / in the brain / a powerful burst)
→ Neurologically, chemicals are released in the brain that give a powerful burst of
excitement and energy.

**4**
고1 11월 응용

당신은 당신이 느끼기에 당신이 거절하지 못할 것 같은 사람에게 분개할 것이다. 520
(the person / you / who you feel / will resent / you cannot say no to)
→ _____

**구조+해석** 관계사절과 선행사 표시하고 해석하기

SAMPLE
고1 11월

Minority individuals / have / many encounters ⟨with majority individuals⟩, [each of which may trigger such responses].
선행사

관계대명사절(each of+which+V ~)

minority 소수의 (↔ majority)

→ 소수 집단의 개인들은 다수 집단의 개인들과 많은 마주침을 가지며, 각각의 마주침은 이러한 반응을 유발할지도 모른다.

1
고2 9월 응용

Cute aggression may serve as a tempering mechanism that allows us to take care of something we might first perceive as cute.

aggression 공격성

→ _____

2
고2 11월 응용

Musicians have learned to create special effects that tickle our brains by exploiting neural circuits that evolved.

tickle 자극하다   exploit 이용하다

→ _____

3
고1 11월

Was there something he could smell or sense when he was in an organization that suggested this company was going to be a winner?

suggest 암시하다

→ _____

**구문+서술형** 표현 활용하여 영작하기

SAMPLE
고2 11월

우리는 우리의 몸 안에 쌓아온 에너지 저장물들에 의해 살고 죽는 생명체들이다.
(creatures, live and die, energy stores, build up, our bodies)

build up 쌓다

→ We're creatures who live and die by the energy stores we've built up in our bodies.

4
고2 11월

어느 날 밤, 우리 가족은 다른 도시에서 온 두 딸이 있는 부부와 파티를 하고 있었다.
(one night, have a party, couple, another city, daughter)

→ _____

ANSWERS → p.30

옳은 문장에 ✓

**1**

고2 3월

a  Inside something told me that by now someone had discovered my escape.

b  Something inside told me that by now someone had discovered my escape.

**2**

고2 3월

a  After victory, the behaviors displayed by sighted and blind athletes were very similar.

b  After victory, the behaviors displaying by sighted and blind athletes was very similar.

**3**

고2 3월 응용

a  The ability to perform heart transplants was linked to the development of respirators.

b  The ability perform heart transplants was linked to the development of respirators.

respirator 인공호흡기

**4**

고1 11월 응용

a  Non-verbal communication can be useful in situations why speaking may be inappropriate.

b  Non-verbal communication can be useful in situations where speaking may be inappropriate.

**5**

고2 9월 응용

a  Adolescents differ from adults in the way they make decisions.    adolescent 청소년

b  Adolescents differ from adults in the way how they make decisions.

**6**

고1 11월

a  Plants can't move, which means they can't escape the creatures that feed on them.

b  Plants can't move, that means they can't escape the creatures that feed on them.

**7**

고2 6월

a  The graph above shows the percentage of American people by age group which read at least one e-book in 2012 and 2013.

b  The graph above shows the percentage of American people by age group who read at least one e-book in 2012 and 2013.

**8**

고2 3월 응용

a  Like a child who doesn't wait for the perfect tool, an artist makes art.

b  Like a child whose doesn't wait for the perfect tool, an artist makes art.

# UNIT 9 ✈ 수식어-부사

## 핵심 개념 확인

| | | TRUE | FALSE |
|---|---|---|---|
| 1 | 부사는 동사, 형용사, 다른 부사 또는 문장 전체를 수식한다. | ☐ | ☐ |
| 2 | 동명사구는 문장 전체를 수식하는 부사구 역할을 할 수 있다. | ☐ | ☐ |
| 3 | to부정사구는 형용사나 부사를 수식하여 의미를 한정하거나 정도 · 결과를 나타낼 수 있다. | ☐ | ☐ |
| 4 | 분사구문은 분사가 이끄는 어구가 명사를 수식하는 형용사 역할을 하는 것을 말한다. | ☐ | ☐ |
| 5 | 「(Being/Having been+)P.P. ~」 형태의 분사구문은 '능동'을 나타낸다. | ☐ | ☐ |
| 6 | 분사구문의 의미상 주어가 주절의 주어와 다르면 분사 앞에 표시한다. | ☐ | ☐ |
| 7 | 부사절을 이끄는 접속사는 문맥에 따라 시간, 원인, 조건, 양보, 목적, 결과, 양태 등을 의미한다. | ☐ | ☐ |
| 8 | 부사절은 불완전한 구조의 절이다. | ☐ | ☐ |

**구조+해석**  부사(구)와 수식 대상 표시하고 해석하기  본책 문장 LINK

**SAMPLE**
고2 9월 응용

Teenagers / occasionally behave / in an irrational or dangerous way.  535
부사 ↝  V  전치사구(방법: V 수식)

→ 십 대 아이들은 때때로 비합리적이거나 위험한 방식으로 행동한다.

**1**
고2 9월

Generally, people tend to seek consistency.  530

→ _____

**2**
고2 11월 응용

Beebe gradually developed an interest in marine biology.  522

→ _____

**3**
고2 6월 응용

My heart started pounding really hard and fast.  527

→ _____

**4**
고2 6월 응용

We are quite proud of our opinions and beliefs.  524

→ _____

**구문+서술형**  우리말과 같도록 표현 배열하기

**SAMPLE**
고2 6월 응용

Fleming은 그의 책상 위에 몇몇 박테리아 배양균을 두고 갔다.  534
(left / some bacterial cultures / Fleming / on his desk)

→ Fleming left some bacterial cultures on his desk.

**5**
고2 6월

그녀는 당신에게 그녀의 시험지 아래에 있는 큰 붉은색 A를 자랑스럽게 보여 준다.  521
(you / she / at the bottom / proudly shows / of her test paper / a big red A)

→ _____

**6**
고2 9월

불행하게도, 결과는 훨씬 더 좋지 않았다.  529
(even worse / the results / unfortunately, / were)

→ _____

**7**
고2 3월 응용

그 자료는 매우 적절하게 작성되어야 한다.  526
(must be / the material / competently written / very)

→ _____

**8**
고2 6월 응용

Sarah는 항상 그 자리에 있던 Harris를 지나갔고 약간의 잔돈을 그의 컵에 떨어뜨렸다.  536
(passed / into his cup / and dropped / Sarah / Harris at his usual spot / some change)

→ _____

**구조+해석** 부사(구)와 수식 대상 표시하고 해석하기

**SAMPLE**
고1 11월

We / arrange / our lives / in largely repetitive schedules.
　　　　　　　　　　　　　　부사 ↰ 형용사

largely 대체로
repetitive 반복적인

→ 우리는 대체로 반복적인 스케줄 속에 우리 생활을 배열한다.

**1**
고2 11월 응용

Charisma is eminently learnable and teachable.

eminently 분명하게

→ _____

**2**
고2 6월 응용

Unfortunately, this product has not worked well.

work 작동하다

→ _____

**3**
고2 6월

This quest accidentally began in November, 2016 in a grocery store.

accidentally 우연히

→ _____

**4**
고2 11월 응용

Application of Buddhist-style mindfulness to Western psychology came primarily from the research of Jon Kabat-Zinn.

application 적용  primarily 원래

→ _____

**구문+서술형** 표현 활용하여 영작하기

**SAMPLE**
고2 3월

Lina는 자신의 나머지 손등으로 뺨에서 눈물을 닦았다.
(wipe, cheeks, with, the back of, free hand)

wipe 닦다

→ Lina wiped the tears from her cheeks with the back of her free hand.

**5**
고2 6월

놀랍게도, 강하게 비우호적이었던 태도들은 실제 행동을 예측해내지 못했다.
(remarkably, powerful, unfavorable, attitude, predict, actual)

predict 예측하다

→ _____

**6**
고2 11월

그는 Columbia 대학에 다녔지만, 공식적으로 졸업을 하지는 않았다.
(attend, never, officially, graduate)

officially 공식적으로

→ _____

**7**
고2 6월

놀랍게도, 투숙객들은 세 번째 표지판에 가장 긍정적으로 반응하였다.
(to one's surprise, guest, respond, positively, the third sign)

to one's surprise 놀랍게도

→ _____

**8**
고2 6월

한 관리자는 상대적으로 짧은 기간의 시간에 많은 양에 대한 책임이 있었다.
(manager, responsible for, quantity, relatively, span of time)

span 기간

→ _____

ANSWERS p.31

**구조+해석** to부정사구 표시하고 해석하기

본책 문장 LINK

**SAMPLE**
고2 3월

The next morning, / Miss Taglia / was pleased / to see two smiling faces /
at her door.
to부정사구(감정의 원인)

541

→ 다음 날 아침, Taglia 선생님은 자신의 문에서 두 명의 웃는 얼굴을 봐서 기뻤다.

**1**
고2 11월 응용

She was surprised to find her son standing in the doorway.

540

→ _____

**2**
고1 11월 응용

68% of respondents decided to make their way to the store in order to save $5.

538

→ _____

**3**
고2 11월 응용

You rush out of your house only to realize you forgot your phone on the kitchen table.

542

→ _____

**4**
고2 6월 응용

For your children to succeed and be happy, you need to convince them that success comes from effort.

539

→ _____

**구문+서술형** 우리말과 같도록 표현 배열하기

**SAMPLE**
고2 3월 응용

그 작은 입자들은 눈으로 보기에는 너무 작다.
(are / the little particles / to see / too small)

546

→ The little particles are too small to see.

**5**
고2 11월

정확히 말하자면, 우리는 현대 세계에 사는 석기 시대의 뇌를 가지고 있다.
(a Stone Age brain / we have / to be clear, / in a modern world / that lives)

549

→ _____

**6**
고2 3월 응용

그 개는 작은 아이 주변에서 기르기에는 너무 클지도 모른다.
(the dog / to keep / might be / around a small child / too big)

547

→ _____

**7**
고2 9월 응용

네잎클로버는 흔하지 않고 찾기에 힘들다.
(to find / four-leaf clovers / are / and hard / rare)

544

→ _____

**8**
고2 9월 응용

인간은 신체적 성장에 충분한 다양한 것들을 먹을 정도로 충분히 융통성 있어야 한다.
(a variety of items / to eat / must be / sufficient for physical growth / flexible enough / humans)

548

→ _____

**구조+해석**  to부정사구 표시하고 해석하기

SAMPLE
고2 3월 응용

He / gets / discouraged / and stops / <u>to rest for a while</u>.
to부정사구(목적)

discouraged 풀이 죽은

→ 그는 풀이 죽어서 잠시 쉬려고 멈춘다.

**1**
고2 11월 응용

The Riverside Art Center is proud to announce the Upcycling Festival.

announce 알리다

→ _____

**2**
고2 11월 응용

In parallel bars event he scored a 'perfect ten' to win an individual gold medal.

parallel bar 평행봉

→ _____

**3**
고2 3월 응용

She was thrilled to be able to choose someone to work with.

→ _____

**4**
고2 11월 응용

The brain has the capacity to change in response to injury in order to at least partly compensate for the damage.

injury 부상   compensate 보충하다

→ _____

**구문+서술형**  표현 활용하여 영작하기

SAMPLE
고2 6월 응용

자신감 있는 리더들은 기본적인 질문들을 하는 것에 대해 두려워하지 않는다.
(confident, afraid, ask, the basic question)

→ Confident leaders are not afraid to ask the basic questions.

**5**
고2 9월 응용

나는 이것을 하기에는 너무 무섭다.
(scared, do)

→ _____

**6**
고2 6월

너무 많은 제한은 배우기 어렵고 자율성의 정상적인 발달을 저해할지도 모른다.
(limits, difficult, learn, may, spoil, normal, development, autonomy)

→ _____

**7**
고2 9월

3일 후, 그 왕은 그의 군대 앞에 다시 설 수 있을 만큼 충분히 회복되었다.
(king, well, appear, before his army)

→ _____

**8**
고2 11월 응용

휴식은 당신의 에너지 수준을 회복시키고 당신의 정신적인 체력을 재충전하는 데 필요하다.
(breaks, necessary, revive, energy levels, recharge, mental stamina)

→ _____

ANSWERS↓ p.32

**구조+해석** 분사구문 표시하고 해석하기   본책 문장 LINK

**SAMPLE**
고2 9월

For twenty years / the hostility / grew, ⟨spreading to their families and the community⟩.   `553`
분사구문(연속동작)

→ 20년 동안 증오심이 자랐고, 그들의 가족과 지역사회에 전해졌다.

**1**
고2 11월 응용

Shivering with fear, I murmured a prayer.   `554`

→ _____

**2**
고2 3월 응용

Yolanda nodded her head, realizing that her wise grandmother was right.   `558`

→ _____

**3**
고1 11월

Feeling sympathy for him, Rangan fixed the bicycle.   `559`

→ _____

**4**
고2 11월

Crying and hugging her son, she gave him clothes to change into and some food.   `557`

→ _____

**구문+서술형** 우리말과 같도록 표현 배열하기

**SAMPLE**
고2 11월

그 가난한 노파는 같은 말을 중얼거리면서 평소처럼 빵 덩어리를 가져갔다. (muttering / the poor old woman / the loaf / the same words / took away / as usual,)   `556`

→ The poor old woman took away the loaf as usual, muttering the same words.

**5**
고2 9월

작은 상자 안의 고양이는 그 모든 공간을 채우며 액체처럼 행동할 것이다. (filling up / in a small box / all the space / like a fluid, / a cat / will behave)   `555`

→ _____

**6**
고2 3월 응용

그 개는 방 안으로 뛰어들어와서 자랑스러운 듯이 자신의 꼬리를 흔들었다.   `552`
(his tail / the dog / into the room, / proudly wagging / leapt)

→ _____

**7**
고2 9월

충동적으로, Jacob은 그의 동료 없이 복도를 달려가 화염 속으로 사라졌다. (ran down / Jacob / without his partner, / impulsively, / the hall / disappearing into the flames)   `551`

→ _____

**구조+해석** 분사구문 표시하고 해석하기

SAMPLE
고2 3월

I / was sitting / outside a restaurant / in Spain / one summer evening, ⟨waiting for dinner⟩.
분사구문(동시동작)

→ 나는 어느 여름날 저녁 스페인의 한 식당 밖에서 저녁 식사를 기다리며 앉아 있었다.

1
고2 11월

She began to act out, hanging out with the wrong crowd at school.
act out 말썽을 피우다

→ _____

2
고1 11월

Washing his greasy hands, he heard a knock at his door.
greasy 기름 묻은

→ _____

3
고2 9월

Most dyes will permeate fabric in hot temperatures, making the color stick.
dye 염료  permeate 스며들다  stick 들러붙다

→ _____

4
고1 11월 응용

Non-verbal communication should function as a supplement, serving to enhance the richness of the content of the message.
supplement 보충  enhance 강화시키다

→ _____

**구문+서술형** 분사구문과 표현 활용하여 영작하기

SAMPLE
고2 3월

환하게 웃으며, 그녀는 앞줄에 있는 낯익은 얼굴들을 바라보았다.
(smile, brightly, look at, familiar, the front row)
familiar 낯익은

→ Smiling brightly, she looked at the familiar faces in the front row.

5
고2 6월 응용

그는 길모퉁이에서 행인들에게 잔돈을 구걸하며 살았다.
(live, street corner, ask ~ for, passerby, spare change)
passerby 행인 (pl. passersby)

→ _____

6
고2 9월 응용

갑자기 한 여자가 목청껏 소리를 지르며 그에게 다가왔다.
(suddenly, come, yell, at the top of one's lungs)
at the top of one's lungs 목청껏

→ _____

7
고2 6월 응용

회사 간부들은 Merck의 주요 경쟁사들 가운데 하나인 체하면서, 그룹으로 작업을 했다.
(executive, in groups, pretend, to be, Merck's top competitor)

→ _____

ANSWERS p.32

**구조+해석**   분사구문 표시하고 해석하기     본책 문장 LINK

**SAMPLE**
고1 11월 응용

〈Terrified by the poor medical treatment for female patients〉, she / founded / a hospital for women / in Edinburgh.    564
수동 분사구문
→ 여성 환자들에 대한 열악한 의학 치료에 놀라서, 그녀는 Edinburgh에 여성을 위한 병원을 설립했다.

**1**
고2 9월

"Do you know which way we came?" Lauren asked, her eyes darting around.    567

→ _____

**2**
고2 9월

Generally speaking, the people do not have a tradition of raising these crops.    574

→ _____

**3**
고2 6월 응용

Having never done anything like this before, Cheryl hadn't anticipated the reaction.    561

→ _____

**4**
고2 6월

With these counterforces battling inside us, we cannot completely control what we communicate.    577

→ _____

**구문+서술형**   우리말과 같도록 표현 배열하기

**SAMPLE**
고2 6월 응용

간단히 말해서, 당신이 마치 수학을 잘하는 것처럼 느낀다고 상상해 보라.
(imagine that / you're / simply put, / good at math / feel like / you)    575
→ Simply put, imagine that you feel like you're good at math.

**5**
고2 6월 응용

가방을 싸고, 나는 우리 방갈로의 앞문으로 가기 시작했다. (packed, / my suitcase / started for / I / the front door / with / of our bungalow)    578

→ _____

**6**
고2 3월

지쳐서, 나는 바닥에 누워 잠이 들었다.
(lay down / tired, / and fell asleep / I / on the floor)    563

→ _____

**7**
고2 11월

그의 최초 발명품 중 하나는, 매우 필요함에도 불구하고, 실패였다.
(although / a failure / was, / much needed, / one of his first inventions)    573

→ _____

**구조+해석**   분사구문 표시하고 해석하기

SAMPLE
고1 11월

Imagine [studying two hills ⟨while standing on a ten-thousand-foot-high plateau⟩].

접속사+분사구문

plateau 고원

→ 만 피트 높이의 고원에 서서 두 개의 언덕을 유심히 본다고 상상해 보라.

1
고1 11월 응용

With her mother sitting proudly in the audience, Victoria felt proud of herself.

→ _____

2
고2 11월

The number grew to hundreds of people, each delivering a $100 bill.    bill 지폐

→ _____

3
고2 3월

After retelling the story several times, Bella's fears lessened and eventually went away.    lessen 줄어들다   go away 사라지다

→ _____

4
고2 9월 응용

Referred to in the media as the "King of Bollywood," he has appeared in more than 80 Bollywood films.

→ _____

**구문+서술형**   분사구문과 표현 활용하여 영작하기

SAMPLE
고2 6월 응용

꿀벌은 최대 5만 마리의 벌이 모여서 집단 지성을 발전시켜 왔다. (honeybees, evolve, swarm intelligence, with, up to 50,000 workers, come together)    swarm 집단, 무리

→ Honeybees have evolved swarm intelligence, with up to 50,000 workers coming together.

5
고1 11월

당신이 어떤 개인과 이야기하는 동안 불편한 입장에 있다고 상상해 보라.
(imagine, uncomfortable, position, while, talk to, individual)    position 입장

→ _____

6
고2 9월 응용

Philip은 공포에 질려서 왕의 침대 옆에 엎드렸다.
(horrify, throw oneself down, bedside)    throw oneself down 엎드리다

→ _____

7
고2 9월 응용

과학자들은 문제의 핵심을 이해하려 노력할 때 흔히 보잘것없는 대상을 연구하도록 선택한다.
(choose, study, humble subjects, when, try, understand, essence)

→ _____

ANSWERS↓ p.33

**구조+해석** 부사절 표시하고 해석하기     본책 문장 LINK

SAMPLE
고2 3월 응용

I / decided / to walk / only at night [until I was far from the town].
                                        부사절(시간)

→ 나는 마을에서 멀리 떨어질 때까지 오로지 밤에만 걷기로 결심했다.

582

**1**
고2 6월

Every time he got close enough to help, she pulled him under.

→ _____

589

**2**
고2 6월 응용

Paul was still furiously snoring as John got up to find his water bottle in the dark.

→ _____

583

**3**
고2 11월 응용

As soon as the farmer said, "Pull Warrick!" the donkey heaved the car out of the ditch.

→ _____

588

**구문+서술형** 우리말과 같도록 표현 배열하기

SAMPLE
고2 3월

그녀가 연설을 시작한 이후 처음으로 Alice는 자신의 연설문으로부터 고개를 들었다.
(Alice / since / for the first time / she began talking / from her speech / looked up)

→ Alice looked up from her speech for the first time since she began talking.

581

**4**
고2 3월 응용

그녀의 두 뺨에 눈물이 흐르면서 그녀는 간호사에게로 몸을 돌렸다.
(she / streamed down / turned to / her cheeks / the nurse / tears / as)

→ _____

584

**5**
고2 3월

Mark는 그가 8살이었을 무렵에는 시합에서 지는 것을 참지 못했다. (he was / Mark / to lose at games / could not stand / eight years old / by the time)

→ _____

591

**6**
고2 6월 응용

그가 자리를 비운 동안, 방화범들이 그 장소에 들어와 불을 질렀다. (entered / was gone, / the arsonists / he / the area / while / and started the fire)

→ _____

580

**7**
고2 6월

일단 그들이 이것을 깨닫게 되자, 그들은 집안일에 관하여 타협할 수 있게 되었다.
(were able to / they realized this, / regarding the housework / they / once / compromise)

→ _____

587

**구조+해석** 부사절 표시하고 해석하기

SAMPLE
고2 3월

[By the time we reach employment age], there is / a finite range of jobs [we can perform effectively].
부사절(시간)

finite 한정된

→ 우리가 취업 연령에 도달할 무렵이면, 우리가 효과적으로 수행할 수 있는 한정된 범위의 직업들이 있다.

**1**
고1 11월

Boole was forced to leave school at the age of sixteen after his father's business collapsed.

collapse 실패하다

→ _____

**2**
고2 6월 응용

When the immune system senses a dangerous parasite, the body is mobilized to produce special cells.

parasite 기생충, 균   mobilize 가동시키다

→ _____

**3**
고1 11월

Since our hotel was opened in 1976, we have been committed to protecting our planet by reducing our energy consumption and waste.

commit to ~에 헌신하다

→ _____

**구문+서술형** 부사절 접속사와 표현 활용하여 영작하기

SAMPLE
고1 11월

농부가 집에 도착하자마자, 그는 즉시 재판관의 제안을 시험해 보았다.
(reach home, immediately, put ~ to the test, judge, suggestions)

→ As soon as the farmer reached home, he immediately put the judge's suggestions to the test.

**4**
고2 6월 응용

그 주인은 그녀가 그녀의 부모에게 연락을 취할 수 있을 때까지 그곳에 머무를 수 있도록 해주었다.
(owner, allow, stay, there, could contact, parents)

→ _____

**5**
고1 11월 응용

매일, 학교가 끝날 때, 수십 명의 학생들이 숙제를 하기 위해 도서관으로 온다.
(each day, close, dozens of, come, library, do homework)

→ _____

**6**
고2 11월

일단 우리가 어떤 것을 소유하면, 우리는 그것을 과대평가할 가능성이 훨씬 더 높다.
(own, something, far more, be likely to, overvalue)

overvalue 과대평가하다

→ _____

**7**
고2 11월 응용

그 쇼가 시작되기 전에, 그는 자신의 아들을 데리고 그들 각자의 우리에 있는 동물들을 보러 갔다.
(show, take, to see, animals, respective cages)

respective 각자의

→ _____

ANSWERS p.34

**구조+해석**　부사절 표시하고 해석하기　본책 문장 LINK

SAMPLE
고2 6월

Consequently, / he / failed / to adapt to the environment of the 594
grasslands [because he lacked survival skills].
　　　　　　　　　　　　부사절(이유)
→ 결과적으로, 그가 생존 기술이 부족했기 때문에 그는 목초지의 환경에 적응하는 데 실패했다.

1
고2 3월

It cannot be moved out of forests by floating down rivers unless the 602
wood has been dried first.

→ _____

2
고2 6월 응용

The habit of asking questions forces you to have a different inner life 597
experience, since you will be listening more effectively.

→ _____

3
고2 9월

In case you didn't see it, I'm enclosing a copy of our class calendar as a 605
helpful reference.

→ _____

**구문+서술형**　우리말과 같도록 표현 배열하기

SAMPLE
고2 11월 응용

그가 자신이 팀의 일부라고 믿는 한, 그는 훌륭한 일들을 해낼 수 있다. (he can do / 604
he is a part / as long as / he / of a team, / great things / believes)

→ As long as he believes he is a part of a team, he can do great things.

4
고2 3월 응용

만약 당신이 충분히 오랫동안 열심히 계속하기만 한다면, 당신은 무엇이든 할 수 있다. 600
(if / anything, / you / long and hard enough / can do / you just persist)

→ _____

5
고2 3월

아주 많은 자료가 작성되고 있기 때문에, 출판사는 매우 선택적일 수 있다. (so much 595
material / since / is being written, / can be / publishers / very selective)

→ _____

6
고1 11월 응용

어제 그는 고열로 몸져누워 있었기 때문에 그는 가게에 나올 수 없었다. (yesterday / as / 598
could not attend / with high fever / he / he was laid up / to business)

→ _____

7
고2 3월

때때로 누군가는 비교할 만한 근거가 거의 없기 때문에 '가장 위대하다'고 칭송받는다. 593
(a person / "the greatest" / there is / sometimes / is acclaimed as /
because / little basis for comparison)

→ _____

**구조+해석** 부사절 표시하고 해석하기

SAMPLE
고1 11월 응용

We / will leave / the cups / untouched [unless they need to be cleaned].
　　　　　　　　　　　　　　　　　　　　　　부사절(조건)　　　untouched 본래 그대로의

→ 그 컵들을 닦을 필요가 없다면, 우리는 그 컵들을 그대로 둘 것이다.

1
고2 3월

For the past two weeks, band practice has been canceled because other groups needed to use the room.
　　　　　　　　　　　　　　　　　　　　　　　　　　　　　cancel 취소하다

→ _____

2
고2 11월

If we have an appointment but are stuck in a traffic jam, that does not really threaten our lives.
　　　　　　　　　　　　　　　　　　　　　　　be stuck in ~에 갇히다

→ _____

3
고2 11월

Since many psychologists began with that assumption, they inadvertently designed research studies that supported their own presuppositions.
　　　　　　　　　　　　　　　　inadvertently 무심코　presupposition 가정

→ _____

**구문+서술형** 부사절 접속사와 표현 활용하여 영작하기

SAMPLE
고2 9월 응용

Philip은 왕과의 우정에 확신을 갖고 있었기 때문에, 기꺼이 위험을 감수했다.
(be willing to, take the risk, have, confidence, friendship)　　be willing to 기꺼이 ~하다

→ Philip was willing to take the risk, as he had confidence in the king's friendship.

4
고2 3월

나는 수술 시간이 점점 다가오고 있었기 때문에 초조해졌다.
(grow anxious, the time for surgery, draw, closer)　　　　　draw 다가오다

→ _____

5
고2 6월 응용

만약 제품에 어떤 문제가 있다면, 나는 두 달 이내에 전액 환불을 받을 자격이 있다.
(products, problems, be entitled to, receive, full refund)　　be entitled to ~할 자격이 있다

→ _____

6
고2 6월 응용

개인의 맹점은 당신이 그것들의 존재를 인지하지 못하기 때문에 간과될 수 있다.
(personal blind spots, overlook, be unaware of, presence)　　overlook 간과하다

→ _____

7
고2 11월 응용

당신이 창조와 행위에 관해 이야기하고 있는 한 과학과 예술 사이의 유사점들은 매우 많다.
(analogy, very good, talk, creation, performance)　　analogy 유사점  good 많은

→ _____

## 8 부사절: 양보, 대조     REVIEW

**구조+해석**   부사절 표시하고 해석하기     본책 문장 LINK

**SAMPLE**
고2 6월

[Whether you're neat or messy], your workspace / may reveal / a lot / about your personality.   610
부사절(양보)

→ 당신이 깔끔하든 지저분하든, 당신의 작업 공간은 당신의 성격에 대해 많은 것을 드러낼 것이다.

**1**
고2 11월 응용

Half the participants played a block-matching game for ten minutes, while the other half sat quietly.   613

→ _____

**2**
고2 6월 응용

Even though you can ignore the ads, by simply being in front of your eyes, they're doing their work.   608

→ _____

**3**
고2 3월 응용

Sometimes animals seem unconcerned when approached closely, whereas other times they disappear in a flash when you come in sight.   612

→ _____

**구문+서술형**   우리말과 같도록 표현 배열하기

**SAMPLE**
고2 6월 응용

비록 사람들은 설득을 깊은 사고 과정이라고 생각하지만, 그것은 실제로는 얕은 사고 과정이다. (as deep processing, / think of persuasion / shallow processing / people / although / it is actually)   609

→ Although people think of persuasion as deep processing, it is actually shallow processing.

**4**
고2 6월 응용

비록 그것이 증명되지 못했더라도, 진화론은 우리가 가지고 있는 최선의 이론이다.
(evolution is / that we have / it hasn't been proved, / the best theory / though)   606

→ _____

**5**
고2 11월 응용

비록 거짓말이 어떤 해로운 영향도 미치지 않는다 할지라도, 그것은 여전히 도덕적으로 옳지 않다. (it / lying / even if / is / any harmful effects, / doesn't have / still morally wrong)   607

→ _____

**6**
고1 11월 응용

숫자 799는 800보다 현저히 작게 느껴지는데, 반면에 798은 799와 거의 비슷하게 느껴진다. (798 / whereas / the number 799 / significantly less than 800, / feels / pretty much like 799 / feels)   611

→ _____

**구조+해석**　부사절 표시하고 해석하기

SAMPLE
고2 6월

Why do some strangers / build / lasting friendships, [while others struggle to get past basic platitudes]?

부사절(대조)
lasting 지속적인　platitude 상투적인 말

→ 왜 몇몇 타인들은 지속적인 우정을 쌓고, 반면에 다른 이들은 기본적인 상투적인 말을 넘어서는 데 어려움을 겪을까?

1
고2 9월 응용

Whether you're nine or ninety years old, you should constantly be learning.

constantly 꾸준히

→ _____

2
고2 3월 응용

The indoor tree was protected, while the outdoor tree had to cope with the elements.

cope with 이겨내다　the elements 악천후

→ _____

3
고2 11월

You would find it very difficult indeed to describe the *inside* of your friend, even though you feel you know such a great friend through and through.

through and through 속속들이

→ _____
_____

**구문+서술형**　부사절 접속사와 표현 활용하여 영작하기

SAMPLE
고2 3월

민간 항공기는 일반적으로 물리적 구조물은 아님에도 불구하고, 도로와 유사한 항로로 운항한다.
(commercial airplanes, travel, airways, similar to roads, they, physical structures)

→ Commercial airplanes generally travel airways similar to roads, although they are not physical structures.

4
고2 9월

비록 음악이 Paul에게 중요하긴 했지만, 그는 화가가 되었다.
(music, important, become, artist)

→ _____

5
고2 9월 응용

수력 에너지의 비율은 꾸준히 감소한 반면에, 같은 기간 동안 태양 에너지 기술들은 점점 더 많은 비중을 차지했다. (percentage, hydropower energy, steadily, decrease, solar energy, take, increasing shares, period)

steadily 꾸준히　period 기간

→ _____
_____

6
고2 9월 응용

비록 소셜 미디어의 디자인은 시간이 지남에 따라 바뀔지도 모르겠지만, 사람들이 게시했던 것의 내용은 훼손되지 않고 남아 있다. (design, might, change, over time, content, what, post, remain, intact)

post 게시하다　intact 훼손되지 않은

→ _____
_____

ANSWERS→ p.36

**구조+해석** 부사절 표시하고 해석하기 | 본책 문장 LINK

SAMPLE
고2 9월 응용

The technique of selective note-taking / involves / writing down the key answers [so that they can be transcribed easily afterwards]. `617`
　　　　　　　　　　　　　　　　　　　　　　　　부사절(목적)
→ 선별적 필기 기술은 그것들이 나중에 쉽게 기록될 수 있도록 핵심 답변들을 적는 것을 포함한다.

**1**
고2 3월 응용

When koalas move, they often look as though they're in slow motion. `624`

→ _____

**2**
고2 9월

Human reactions are so complex that they can be difficult to interpret objectively. `619`

→ _____

**3**
고2 11월 응용

Exercise is a great way for you to begin to deconstruct your negative emotions so that they no longer affect your life. `615`

→ _____
_____

**구문+서술형** 우리말과 같도록 표현 배열하기

SAMPLE
고2 11월 응용

그들은 그것이 균등하게 타도록 아래부터 밧줄에 불을 붙였다. `616`
(a rope / they / so that / would light / it burnt evenly / from the bottom)
→ They would light a rope from the bottom so that it burnt evenly.

**4**
고2 6월

면역 체계는 너무나 복잡해서 그것을 설명하려면 책 한 권이 있어야 할 것이다. `618`
(it would take / the immune system / a whole book / to explain it / is / so complicated / that)

→ _____

**5**
고1 11월 응용

아이들은 자신의 부모가 말하는 대로 하도록 기대된다. `623`
(as / children / to do / their parents say / are expected)

→ _____

**6**
고2 6월

나는 너무 화가 나서 문을 쾅 닫고 앞 현관으로 나섰다. (I slammed / was / so angry / I / on the front porch / the door / and stepped out) `620`

→ _____

**구조+해석**   부사절 표시하고 해석하기

**SAMPLE**
고2 6월응용

[As our mom always says], mistakes / are / the best teachers.
      부사절(양태)

→ 엄마가 항상 말씀하시는 것처럼, 실수는 최고의 선생님이다.

**1**
고2 6월

This created a significant barrier to entry so that those working with gold could demand a monopoly price for their services.

monopoly 독점적인

→ _____

**2**
고1 11월응용

The belief is such a longstanding assumption that it could be called a habit of mind.

longstanding 오래된   assumption 가정

→ _____

**3**
고2 3월응용

As becoming literate is a basic goal of education, the key goal of early childhood programs is to help children develop the ability to speak freely about their ideas.

literate 글을 읽고 쓸 수 있는

→ _____

_____

**구문+서술형**   부사절 접속사와 표현 활용하여 영작하기

**SAMPLE**
고2 3월

이 요구는 식품업계가 그 식품에 설탕이 그렇게 많이 들어 있다고 말할 필요가 없도록 세 가지 다른 당의 원료를 넣게 만들었다. (requirement, lead, food industry, put in, sources of sugar, that much)

→ This requirement has led the food industry to put in three different sources of sugar so that they don't have to say the food has that much sugar.

**4**
고2 6월

Adam Smith가 말했듯이, 소유는 우리의 삶에 엮여 있다.
(ownership, be woven into)

ownership 소유   weave 엮다 (-wove-woven)

→ _____

**5**
고2 3월응용

그 배는 매우 소중히 여겨져, 그 시민들은 그것을 여러 해 동안 계속 보존했다.
(ship, treasured, townspeople, preserve, years and years)

townspeople 시민

→ _____

**6**
고1 11월응용

당신이 그 과정에 사로잡히지 않도록 하기 위해서는 그들의 변화하는 감정들로부터 분리감을 기르는 것이 최선이다. (it, best, cultivate, detachment, shifting emotion, be caught up, process)

detachment 분리감

→ _____

옳은 문장에 ✔

**1**

고2 6월 응용

a A lot of the parts of the machinery were significant worn.

b A lot of the parts of the machinery were significantly worn.

worn 닳은

**2**

고1 11월 응용

a Proceeding with his study, Turner earned a doctorate degree in zoology.

b Proceeded with his study, Turner earned a doctorate degree in zoology.

doctorate degree 박사 학위

**3**

고2 6월 응용

a He keeps taking photos with his cell phone to show off his new adventure later.

b He keeps taking photos with his cell phone show off his new adventure later.

**4**

고2 11월 응용

a On my way home, I was starved so that I collapsed.

b On my way home, I was so starved that I collapsed.

starve 배고프다
collapse 쓰러지다

**5**

고2 9월

a To stop the spread of fake news, read stories after you share them.

b To stop the spread of fake news, read stories before you share them.

**6**

고2 3월

a If you don't save for this, you'll end up with another debt to pay off.

b Unless you don't save for this, you'll end up with another debt to pay off.

end up 결국 ~하게 되다

**7**

고2 6월 응용

a Interestingly, mallards swim with their tail holding above the water.

b Interestingly, mallards swim with their tail held above the water.

mallard 청둥오리

**8**

고2 3월 응용

a Job satisfaction increases productivity because happy employees work harder.

b Job satisfaction increases productivity although happy employees work harder.

# UNIT 10

## 스페셜 구문

### 핵심 개념 확인

|  |  | TRUE | FALSE |
|---|---|---|---|
| 1 | 등위접속사는 단어와 단어, 구와 구, 절과 절을 대등한 관계로 이어준다. | ☐ | ☐ |
| 2 | 상관접속사는 문법적 구조나 성격이 일치하지 않는 대상도 연결할 수 있다. | ☐ | ☐ |
| 3 | 두 대상을 비교하거나 특정 범위에서 정도의 차이가 가장 큰 하나를 나타낼 때 비교 구문을 이용한다. | ☐ | ☐ |
| 4 | 원급과 비교급으로는 최상급의 의미를 나타낼 수 없다. | ☐ | ☐ |
| 5 | 가정법을 이용하여 현재 또는 과거의 상황이나 사실과 반대되는 것을 가정할 수 있다. | ☐ | ☐ |
| 6 | It is ~ that .... 강조 구문을 이용하여 동사를 강조할 수 있다. | ☐ | ☐ |
| 7 | 「(대)명사+콤마(,)/of/that ~」의 형태로 (대)명사를 구체적으로 설명할 수 있다. | ☐ | ☐ |
| 8 | 문장 내에 어구를 삽입하여 보충 설명하거나, 특정 어구를 생략하여 문장을 간결하게 할 수 있다. | ☐ | ☐ |

**구조+해석**  등위접속사와 연결된 부분 표시하고 해석하기   본책 문장 LINK

**SAMPLE**
고1 11월

Small but expensive products / like neckties and accessories / are often
단어₁        단어₂              단어₁       단어₂
sold / in dark-colored shopping bags or cases.
단어₁                단어₂

629

→ 넥타이와 액세서리같이 작지만 값비싼 상품들은 대체로 어두운색의 쇼핑백 또는 케이스에 담겨 판매된다.

**1**
고1 11월

Einstein reached into his vest pocket for the ticket, but did not find it.
631
→ _____

**2**
고2 3월

We couldn't predict what was going to happen in front of us and around
us.
633
→ _____

**3**
고2 3월

You could cut the pie in many different ways, but it never got any bigger.
636
→ _____

**4**
고2 3월

There, the two of them chose and purchased two small trees.
626
→ _____

**구문+서술형**  우리말과 같도록 표현 배열하기

**SAMPLE**
고2 3월

파티의, 또는 아마도 여러분이 방문했던 호텔의 뷔페 테이블을 생각해 보라. (at a party, /
you've visited / think of / or perhaps / at a hotel / a buffet table)

632

→ Think of a buffet table at a party, or perhaps at a hotel you've visited.

**5**
고2 3월 응용

레크리에이션은 광범위한 개인의 욕구와 관심사를 충족시킨다.
(individual / a wide range of / meets / and interests / recreation / needs)
625
→ _____

**6**
고2 11월 응용

이 건물들은 오래되고 진품일 수도 있고 또는 최근의 복제품일 수도 있다. (these buildings /
old and genuine, / may be / or they may be / recent reproductions)
637
→ _____

**7**
고2 3월 응용

할머니는 미소를 지으며, "이것을 기억해라, 그러면 너는 무엇이든 네가 하는 일에 성공할
것이다."라고 말했다. (in whatever you do / and you will be successful / the
grandmother / remember this, / smiled and said,)
639
→ _____

**8**
고2 9월

토론은 표현 방식보다는 내용에 초점을 두는데, 그래서 관심은 사람이 아니라 논거에 맞추
어진다. (not on the person / debate provides a focus / so the attention is /
on the arguments, / on the content over style,)
634
→ _____

**구조+해석** 등위접속사와 연결된 부분 표시하고 해석하기

SAMPLE
고2 3월

It is fully charged in 30 minutes via USB-cable,/ and it runs for 5 hours.    run 작동하다
절1                                절2
→ 그것은 USB 케이블을 통해 30분 만에 완전히 충전되며, 5시간 동안 작동한다.

1
고2 9월

Children may develop imaginary friends around three or four years of age.
imaginary 가상의
→ _____

2
고2 3월

He wants to have that fire, but the fire doesn't come.    come (어떤 일이) 일어나다
→ _____

3
고2 6월

Purchase tickets online at www.fanstaville.com or at the entrance on the day of the festival.
→ _____

4
고2 3월 응용

Humans aren't naturally good at losing, so there will be tears, yelling, and cheating.
→ _____

**구문+서술형** 표현 활용하여 영작하기

SAMPLE
고2 6월

앉을 의자가 없을 것이니, 각자 쿠션과/또는 담요를 가져오십시오.
(chair, sit on, bring, cushions, blankets)
→ There will be no chairs to sit on, so bring your own cushions and/or blankets.

5
고2 11월

연습하는 동안, 그녀는 그 단어들을 입 모양으로만 말했지만, 선생님은 그것을 알아차렸다.
(mouth, word, notice)    mouth 입 모양으로만 말하다
→ During practice, _____.

6
고2 3월

많은 참여자들은 업무상의 압박들이나 다른 긴장들로부터의 휴식과 분출구의 형태로 레크리에이션에 참여한다. (as, form, relaxation, release, work pressure, tension)    relaxation 휴식
→ Many participants take part in recreation, _____
_____.

7
고2 3월

Mark는 처음에는 화를 냈지만, 곧 더 흔쾌히 이기고 지기 시작했다.
(soon, begin, win, lose)    with grace 흔쾌히
→ Mark was upset at first, _____ with more grace.

8
고2 6월

우유와 고기는 사람들에게 많은 지방과 단백질을 제공하지만 비타민은 거의 제공하지 않는다.
(provide ~ with, fat, protein, few, vitamins)    protein 단백질
→ The milk and meat _____.

**구조+해석** 상관접속사와 연결된 부분 표시하고 해석하기    본책 문장 LINK

SAMPLE
고2 6월

Both male and female impalas / are / similar in color, / with white bellies and black-tipped ears.   644
both A and B: A와 B 둘 다

→ 수컷과 암컷 임팔라 둘 다 색깔이 비슷한데, 흰 배와 끝이 검은 귀를 가졌다.

**1**
고2 3월

Educators often physically rearrange their learning spaces to support either group work or independent study.   648

→ _____

**2**
고2 6월

The development of writing was pioneered not by gossips, storytellers, or poets, but by accountants.   653

→ _____

**3**
고2 9월 응용

You know that neither apples nor anything else on Earth cause the Sun to crash down on us.   650

→ _____

**구문+서술형** 우리말과 같도록 표현 배열하기

SAMPLE
고2 6월

자아는 내적으로뿐만 아니라 외적으로 살펴봄으로써 사회적 힘에 의해 형성된다.   658
(by looking / as well as / by social forces, / outwards / inwards / the self is formed)

→ The self is formed by social forces, by looking outwards as well as inwards.

**4**
고2 9월

당신은 포스터와 표어 둘 다를 제출할 수 있다.   642
(can submit / you / and a slogan / both a poster)

→ _____

**5**
고2 9월

고양이는 환경에 따라 액체도 될 수 있고 고체도 될 수 있다.   646
(either liquid / cats can be / depending on the circumstances / or solid,)

→ _____

**6**
고2 9월

언어적, 비언어적 신호들은 문화 간 의사소통과 관련되어 있을 뿐만 아니라 중요하다.   655
(to intercultural communication / verbal and nonverbal signs are / but also significant / not only relevant)

→ _____

**7**
고2 6월 응용

집안에 이용할 수 있는 우산도 우비도 없었다.   649
(neither / in the house / an umbrella / was available / a raincoat / nor)

→ _____

**구조+해석**　상관접속사와 연결된 부분 표시하고 해석하기

SAMPLE
고1 11월

These bosses / influence / the behavior of their team / not by telling them [what to do differently], but by caring.

not A but B: A가 아니라 B

→ 이런 상사들은 그들에게 무엇을 다르게 해야 할지를 말함으로써가 아니라, 배려함으로써 팀원의 행동에 영향을 미친다.

1
고2 11월

Photographs, as well as woodcuts and engravings of them, appeared in newspapers and magazines.

woodcut 목판화　engraving 판화

→ _____

2
고2 6월 응용

Scientists not only have labs with students who contribute critical ideas, but also have colleagues who are doing similar work.

contribute 공헌하다

→ _____

3
고2 11월

The kindness and generosity shown by both friends and strangers made a huge difference for Monica and her family.

generosity 너그러움

→ _____

**구문+서술형**　상관접속사와 표현 활용하여 영작하기

SAMPLE
고2 9월 응용

세탁기는 옷을 깨끗하게 할 뿐만 아니라, 손으로 빠는 것이 요구하는 것보다 훨씬 더 적은 물, 세제, 그리고 에너지를 가지고 그렇게 한다. (washing machine, clean, do)

→ The washing machine not only cleans clothes, but it does so with far less water, detergent, and energy than washing by hand requires.

4
고2 11월

우리가 자연을 경험할 때, 우리는 그것을 종(種)들로서가 아니라 개별적인 대상들로서 경험한다.
(experience, as, species, individual, object)

species 종(種)

→ When we experience nature, _____.

5
고2 11월

그가 그의 삶뿐만 아니라 그의 일도 사랑했다고 말하는 것은 어렵지 않았다. (love, work, life)

→ It wasn't hard to tell that _____.

6
고1 11월 응용

질병으로 고통받는 군인들과 민간인들 둘 다를 돌보면서, Inglis는 러시아에서 병에 걸려 영국으로 돌아와야만 했다. (care for, soldier, civilian, suffer from, sickness)

→ _____, Inglis became ill in Russia and was forced to return to Britain.

7
고2 9월 응용

현재 상황에서, 사회적 기업들은 보조금 자본 또는 상업 금융 상품들에 의존하는 경향이 있다.
(social enterprise, tend to, rely on, grant capital, commercial financing product)

→ In the current landscape, _____
_____.

ANSWERS → p.39

**구조+해석** 병렬구조 표시하고 해석하기 본책 문장 LINK

**SAMPLE**
고2 3월 응용

Consider / taking small bags 〈of nuts, fruits, or vegetables〉 with you `663`
명사₁    명사₂         명사₃
[when you are away from home].

→ 여러분이 집을 떠나 있을 때 견과류, 과일, 또는 채소를 담은 작은 봉지를 가져갈 것을 고려하라.

**1**
고1 11월

If you hang the Eco-card at the door, we will not change your sheets, `661`
pillow cases, and pajamas.

→ _____

**2**
고1 11월

In 1849, he was appointed the first professor of mathematics at Queen's `666`
College in Cork, Ireland and taught there until his death in 1864.

→ _____

**3**
고1 11월

Each day, as school closes, dozens of students come to the library to do `670`
homework, use the library's computers, or socialize in a safe place.

→ _____

**구문+서술형** 우리말과 같도록 표현 배열하기

**SAMPLE**
고2 9월

교육에서 우리가 필요한 것은 측정, 책무성, 또는 표준이 아니다. (or standards / is not `662`
/ measurement, / what we need in education / accountability,)

→ What we need in education is not measurement, accountability, or standards.

**4**
고2 6월

임팔라들은 풀, 과일, 그리고 나뭇잎들을 먹고 산다. `660`
(fruits, / feed upon / impalas / grass, / and leaves from trees)

→ _____

**5**
고1 11월

그는 Jason을 그의 침대에서 끌어내렸고, 앞문을 열었고, 그를 눈 속으로 내쫓았다. `665`
(pulled Jason out of his bed, / he / and threw him out into the snow /
opened the front door)

→ _____

**6**
고2 11월

그 프로젝트는 장애에 관한 대화를 이어나가는 것과 더 나은 접근성과 통합을 요청하는 `668`
것을 목표로 한다. (to build conversation around disability / and inclusion /
the project aims / and to push for greater accessibility)

→ _____

**7**
고2 3월 응용

나는 이 작업이 자비 부담이라는 것과 내가 임대차 계약에 따라 허락을 받아야 한다는 것을 `673`
이해한다. (as per the lease agreement / I understand / and that I must get
permission / that this would be at my own expense,)

→ _____

**구조+해석** 병렬구조 표시하고 해석하기

SAMPLE
고2 3월

Yolanda looked up at the tall tree, / took a deep breath, / and nodded her head,
／ realizing [that her wise grandmother was right].
동사구₁         동사구₂         동사구₃

→ Yolanda는 큰 나무를 올려다보았고, 심호흡을 했고, 지혜로운 자신의 할머니가 옳다는 것을 깨닫고 자신의 머리를 끄덕였다.

---

1
고1 11월

In countries such as Sweden, the Netherlands, and Kazakhstan, the media are
owned by the public but operated by the government.                    operate 운영하다

→ _____

---

2
고2 3월

Studies show that no one is "born" to be an entrepreneur and that everyone has
the potential to become one.                           potential 잠재력

→ _____

---

3
고2 9월

The old man said that we all need time to relax, to think and meditate, and to
learn and grow.                                   meditate 명상하다

→ _____

---

**구문+서술형** 표현 활용하여 영작하기

SAMPLE
고1 11월

나는 당신과 다른 시 의회 의원들이 그 계획을 취소하고 도서관들을 계속 열 것을 촉구한다!
(cancel, keep, open)                            cancel 취소하다

→ I urge you and other city council representatives *to cancel the plan and to keep libraries open*!

---

4
고2 11월

우리 회사의 10주년을 기념하고 추가적인 성장을 촉진하기 위해, 우리는 작은 행사를 마련했습니다.
(celebrate, anniversary, boost, further, growth)           celebrate 기념하다

→ _____, we have arranged
a small event.

---

5
고2 6월 응용

우리는 우리가 비행기 추락, 자동차 사고, 또는 살인의 희생자들이 될 위험성을 과대평가한다.
(risk, be, victim, plane crash, car accident, murder)           victim 희생자

→ We overestimate _____ .

---

6
고2 6월

우리는 과학, 정치, 사업 그리고 일상에서 공동체에 좀 더 많은 공로를 인정해 줄 필요가 있다.
(credit, community, science, politics, business, daily life)           credit 공로

→ We need to give _____ .

---

7
고2 3월

몇몇 사람들은 불편하게 느꼈을 것이고, 관여할 것인지에 대해 조용히 고민했을지도 모른다.
(may, feel, uncomfortable, might, silently, wonder)

→ _____ whether to get involved.

---

**구조+해석**   원급 비교 표현 및 비교 대상 표시하고 해석하기                                본책 문장  LINK

SAMPLE
고2 6월 응용
> Driving slowly on the highway / is / as dangerous as / racing in the cities.    677
>         A                                          as+원급+as              B
> → 고속도로에서 천천히 운전하는 것은 도시에서 경주하듯 달리는 것만큼 위험하다.

**1**    I sincerely hope that you correct this as soon as possible.    683

고2 11월    → _____


**2**    The second shot was as perfect as the first.    676

고2 6월 응용    → _____


**3**    Night after night he read as long as he could.    684

고2 3월 응용    → _____


**4**    In 1999, the market share of imported fresh fruit was three times as    689
        much as that of imported dried fruit.

고2 3월 응용    → _____


**구문+서술형**   우리말과 같도록 표현 배열하기

SAMPLE
고2 11월
> 거기에는 그의 당나귀가 서 있었는데, 그 농부만큼 늙고 노쇠해 보였다. (his donkey, /    678
> as old / there stood / which looked / as the farmer / and weathered)
> → There stood his donkey, which looked as old and weathered as the farmer.

**5**    이야기는 오직 이야기하는 사람만큼 믿을 만하다.    675
        (the storyteller / as believable as / is only / a story)

고2 11월    → _____


**6**    사실, 검은색은 흰색보다 두 배 무겁다고 인식된다.    688
        (black / twice as heavy / in fact, / is perceived / to be / as white)

고1 11월    → _____


**7**    그 영화들은 무려 17개 언어로 자막 처리가 된다.    686
        (as many as / the movies / are subtitled in / 17 languages)

고2 11월 응용    → _____


**8**    계획의 이행은 그 계획만큼 매력적이지 않다.    679
        (the plan / the implementation of the plan / as appealing as / is not)

고1 11월 응용    → _____

**구조+해석** 원급 비교 표현 및 비교 대상 표시하고 해석하기

**SAMPLE**
고2 6월

[When conditions are harsh / in the dry season], they come together / to search for food / in mixed herds [which can number / as many as 100-200 individuals].
as many as: 무려 ~나 되는 수의
→ 건기에 상황이 열악할 때, 그것들은 먹이를 찾기 위해 무려 100에서 200마리의 수에 달할 수 있는 섞인 무리로 모인다.

**1**
고2 3월

Sports involve your brain as much as your body.　　　　involve ~을 필요로 하다

→ _____

**2**
고2 9월

The percentage of e-reader use among people aged 30 and over is twice as large as that among people aged 16-29.　　　　e-reader 전자책 단말기

→ _____

**3**
고2 6월 응용

Food shortages could force as many as 1 billion people to leave their homes by 2050.

→ _____

**4**
고2 6월 응용

Please let us know as soon as possible so that we can make other arrangements.　　　　arrangement 계획

→ _____

**구문+서술형** 표현 활용하여 영작하기

**SAMPLE**
고1 6월 응용

당신이 무엇인가를 알지 못할 때, 그것을 가능한 한 빨리 인정하고 즉시 조치를 취하라.
(admit, quickly, immediately, take action)　　　　admit 인정하다
→ When you don't know something, admit it as quickly as possible and immediately take action.

**5**
고2 11월

그런 경우들에서, 준비와 연습은 행운만큼이나 많이 중요하다.
(preparation, practice, count, much, good luck)
→ On such occasions, _____.

**6**
고2 3월

일곱 마리나 되는 새끼들이 봄에 태어난다. (young, be born)　　　　young 새끼
→ _____ in the spring.

**7**
고2 6월 응용

최근의 연구는 부모들과 간호사이 가능한 한 많이 미숙아들을 만지고 쓰다듬는 것을 장려한다.
(touch, stroke, premature)
→ Recent research encourages parents and nurses _____.

**8**
고2 11월

토론은 언어 그 자체만큼이나 오래되었고 인간의 역사 내내 많은 형태들을 취해 왔다.
(debating, old, language)　　　　debating 토론
→ _____ and has taken many forms throughout human history.

ANSWERS↓ p.40

**구조+해석** 비교급 표현 및 비교 대상 표시하고 해석하기 본책 문장 LINK

**SAMPLE**
고2 3월 응용

We / forget [that we / love / <u>the real flower</u> / so <u>much more than</u> / <u>the</u>
　　　　　　　　　　　　　　　　A　　　　　비교급 강조 ↘ 비교급+than　　B
plastic one]. 696
→ 우리는 우리가 진짜 꽃을 플라스틱 꽃보다 훨씬 더 많이 사랑한다는 것을 잊어버린다.

**1**
고2 3월

The 'fight' distance is always smaller than the flight distance. 690

→ _____

**2**
고2 9월

The older the age group was, the lower the percentage of those who
listened to both was. 699

→ _____

**3**
고2 9월

More and more institutions followed the lead of the train companies. 701

→ _____

**4**
고2 9월 응용

The percentage of "share equally" households is over two times higher
than that of "mother does more" households in two categories. 704

→ _____

**구문+서술형** 우리말과 같도록 표현 배열하기

**SAMPLE**
고2 6월 응용

그는 그녀가 더울수록 더 빨리 숫자를 센다는 것을 재빨리 알아차렸다. (quickly noticed /
she counted / the faster / he / she was, / that the hotter) 700
→ He quickly noticed that the hotter she was, the faster she counted.

**5**
고2 6월

우리의 뇌는 평범한 것보다 인상적인 결과를 더 쉽게 상상한다. (imagine / our brains /
than ordinary ones / impressive outcomes / more readily) 692

→ _____

**6**
고1 11월 응용

그것들의 유사점은 차이점보다 더 크고 더 심오하다. (their similarities / and more
profound / are greater / than their dissimilarities) 691

→ _____

**7**
고2 6월 응용

그들이 더 많은 선택 항목을 가질수록, 그들은 더 마비된다.
(the more paralyzed / they have, / they become / the more options) 698

→ _____

**8**
고2 3월

폭탄들은 떨어질 때마다 목표물에서 점점 더 먼 곳을 맞히곤 했다.
(the bombs / every time they fell / farther / would hit / and farther /
from their targets) 702

→ _____

**구조+해석** 비교급 표현 및 비교 대상 표시하고 해석하기

**SAMPLE**
고2 6월

The more enthusiastic the dance is, / the happier the scout is / with his spot.
　　　The+비교급　　　　　　　　　　　　the+비교급

→ 그 춤이 더 열정적일수록, 그 정찰병은 그 장소를 더 마음에 들어 한다.

**1**
고2 9월 응용

The more options we have, the harder our decision making process will be.

→ _____

**2**
고2 11월

Today we consume 26 times more stuff than we did 60 years ago.　　　stuff 물건

→ _____

**3**
고2 6월

Between 2014 and 2016, the increase in electric car stock in Japan was less than that in Norway.　　　stock 재고량

→ _____

**4**
고2 9월

Although the Sun has much more mass than the Earth, we are much closer to the Earth, so we feel its gravity more.　　　mass 질량　gravity 중력

→ _____

**구문+서술형** 표현 활용하여 영작하기

**SAMPLE**
고2 6월 응용

네덜란드에서, 전기차 재고량은 2014년보다 2016년에 3배보다 덜 많았다.
(the Netherlands, electric car, stock, less, large)

→ In the Netherlands, the electric car stock was less than three times larger in 2016 than in 2014.

**5**
고2 11월

우리가 더 잘 예측할수록, 그것은 우리에게 더 적은 에너지를 들게 한다.
(better, predict, less, cost)　　　predict 예측하다

→ _____

**6**
고2 9월

날이 갈수록, 그는 점점 더 적은 나무를 가져오고 있었다.
(day after day, bring, less)

→ _____

**7**
고2 9월

당신이 책상 위에 귀를 대고 듣는 소리의 크기는 책상으로부터 귀를 떼고 듣는 그것보다 훨씬 더 크다.
(volume, sound, hear, with, on, much, loud, off)

→ _____

**8**
고2 11월 응용

합의된 그 무리의 선택은 각각의 새의 선택이 그럴 것보다 더 낫다.
(flock, concerted choice, better, individual, would)　　　concerted 합의된

→ _____

ANSWERS p.41

# 6 비교구문: 최상급

**구조+해석**  최상급 표현 및 비교 범위 표시하고 해석하기

본책 문장 LINK

**SAMPLE**
고2 11월 응용

Cyber-related fraud / is / by far the most common form of crime [that
최상급 강조            the+최상급+명사
hits individuals].

708

→ 사이버 관련 사기는 개인들을 공격하는 단연코 가장 흔한 범죄 형태이다.

**1**
고2 11월

Nothing is more important than luck when people are trying to get good seats.

716

→ _____

**2**
고1 11월

In both years, the percentage of people selecting comedy as their favorite
was the highest of all the genres.

707

→ _____

**3**
고2 9월

One of the most curious paintings of the Renaissance is a careful
depiction of a weedy patch of ground by Albrecht Düer.

711

→ _____

**4**
고2 3월

If a food contains more sugar than any other ingredient, government
regulations require that sugar be listed first on the label.

713

→ _____

**구문+서술형**  우리말과 같도록 표현 배열하기

**SAMPLE**
고2 9월

공적인 말하기에 대한 불안감은 사람들 사이에서 가장 흔한 공포 중 하나이다.
(among people / the most common / nervousness about public speaking /
one of / fears / is)

712

→ Nervousness about public speaking is one of the most common fears among people.

**5**
고2 11월 응용

완공 당시에, Gunnison 터널은 세계에서 가장 긴 관개 터널이었다.
(the Gunnison Tunnel / at the time of its completion, / in the world /
was / the longest irrigation tunnel)

705

→ _____

**6**
고2 6월

임팔라는 가장 우아한 네발 동물들 중 하나이다.
(four-legged animals / is / one of / the impala / the most graceful)

710

→ _____

**7**
고2 11월 응용

2002년에, 인터넷 광고 수입은 다른 어떤 매체보다도 더 작았다. (in 2002, / was / any
other media / smaller than / Internet advertising revenue)

714

→ _____

**8**
고2 9월 응용

그는 'The Saturday Evening Post'에 고용된 최연소 편집자가 되었다. (ever hired /
the youngest editor / he / became / by *The Saturday Evening Post*)

709

→ _____

**구조+해석** 　최상급 표현 및 비교 범위 표시하고 해석하기

SAMPLE
고2 9월

With its electrical and mechanical system, / the washing machine / is / <u>one of the most technologically advanced examples</u> 〈of a large household appliance〉.
최상급＋복수명사　　　　　　　　　　　　　　　　　　　　　one of the＋

→ 그것의 전기적이고 기계적인 체계 때문에, 세탁기는 대형 가전제품 중 가장 기술적으로 진보한 예들 중 하나이다.

**1**
고2 3월 응용

Of all the medical achievements of the 1960s, the most widely known was the first heart transplant.

transplant 이식

→ _____

**2**
고2 9월

"You are the nicest person I've ever met," I said.

→ _____

**3**
고2 9월 응용

Changing our food habits is one of the hardest things we can do.

→ _____

**4**
고2 11월

It is often incorrectly quoted that mosquitoes kill more people than any other animal does.

quote 인용하다

→ _____

**구문+서술형** 　표현 활용하여 영작하기

SAMPLE
고1 11월 응용

나열된 여섯 개 지역들 중에서, 유럽은 건강관광을 위해 가장 많이 방문된 장소였다.
(listed, region, most visited, wellness tourism)

→ Of the six listed regions, Europe was the most visited place for wellness tourism.

**5**
고2 3월

나는 고개를 돌렸고, 이 세상에서 가장 이상하게 생긴 얼굴을 보았다.
(turn ~ around, head, see, odd)

odd 이상한

→ _____

**6**
고2 3월

당신은 가족 간의 갈등에 대처하는 데 가장 좋은 처방들 중 하나를 아는가?
(know, best, remedy, cope with, family tension)

remedy 처방

→ _____

**7**
고2 3월 응용

가장 좋은 방법들 중 하나는 무섭거나 고통스러운 경험의 이야기를 되풀이하도록 돕는 것이다.
(best, way, help, retell, frightening, painful, experience)

→ _____

**8**
고1 11월

문화 상대주의에 따르면, 이 모든 체계들은 똑같이 타당하며, 어떠한 체계도 다른 체계보다 우수하지 않다. (according to, cultural relativism, all of, valid, no, better, another)

→ _____

ANSWERS ↓ p.42

# 7 가정법: 과거, 과거완료 　REVIEW

**구조+해석** 가정법 표현 표시하고 해석하기　　본책 문장 LINK

SAMPLE
고1 11월 응용

> If we mixed the paints together, / we would fail in getting the intended 　719
> If+S+V(과거)　　　　　　　　　S+조동사의 과거형+V(원형)
> result.
>
> → 만약 우리가 그 물감들을 함께 섞는다면, 우리는 의도된 결과를 얻는 데 실패할 것이다.

**1**
고2 6월

It would be great if Congress settled their disagreements the same way.　724

→ _____

**2**
고2 6월

If they doubled the number of their franchises from thirteen to twenty-six,　720
they could each make one hundred and twenty-eight dollars in one day!

→ _____

**3**
고2 9월

If I had used disposable diapers all of that time, I would have spent　728
between $4,000 and $4,500 on them.

→ _____

**구문+서술형** 우리말과 같도록 표현 배열하기

SAMPLE
고2 11월

> 만약 내가 이번 프레임에서 스트라이크를 치면, 나는 그 게임에서 이길 것이다.　722
> (I would win / a strike / the game / in this frame, / if I could bowl)
>
> → If I could bowl a strike in this frame, I would win the game.

**4**
고1 11월 응용

만약 Wills가 아웃된 것에 의해서 자신이 좌절하도록 스스로를 내버려 두었다면, 그는 결코　726
어떠한 기록도 세우지 못했을 것이다. (any records / he would have never set /
to become frustrated by his outs, / if Wills had allowed himself)

→ _____

**5**
고2 11월

만약 당신의 뇌가 하룻밤 사이에 완전히 변할 수 있다면, 당신은 불안정해질 것이다. (be /　723
overnight, / if your brain could completely change / unstable / you would)

→ _____

**6**
고2 6월 응용

만약 당신이 로봇이라면, 당신은 온종일 여기에 갇혀 있을 텐데.　718
(all day / a robot, / you'd be stuck / if you were / here)

→ _____

**7**
고2 11월 응용

만약 트럭이 조금만 더 가까웠더라면, 큰 재앙이 발생했을 것이다.　727
(a disaster / had been any closer, / if the truck / it would have been)

→ _____

**구조+해석**   가정법 표현 표시하고 해석하기

**SAMPLE**
고2 9월 응용

If the domed stadium had not been built, / major league baseball might not
have survived in Houston.
If+S+had p.p.      S+조동사의 과거형+have p.p.

→ 만약 돔구장이 만들어지지 않았더라면, 메이저리그 야구 경기는 휴스턴에서 살아남을 수 없었을지도 모른다.

**1**
고2 9월 응용

If both self-protective and utilitarian AVs were allowed on the market, few
people would be willing to ride in the latter.    self-protective 자기방어적인   utilitarian 공리적인

→ _____

**2**
고2 11월 응용

If you used the same plan for taking lecture notes, you'd move so slowly that
you'd miss most of what the instructor said.      instructor 강사

→ _____

**3**
고2 3월

If the people knew they were being tested, every one would instantly come to
the aid of the stranger.      instantly 즉시

→ _____

**구문+서술형**   표현 활용하여 영작하기

**SAMPLE**
고2 6월

만약 우리가 사건들에서 순서들을 알지 못하면, 한 가지 일과 다른 일 사이의 관계들을 전혀 만들어
낼 수 없다. (see, no, order, event, could, make, relation)      order 순서

→ If we saw no order in the events, we could make no relations **between one thing and another
at all.**

**4**
고2 3월

그 표현은 만약 다른 사람들에게 기부한 것이 계산에 포함된다면 더 정확할 것이다.
(expression, would, accurate, calculations, include)      accurate 정확한

→ _____ **what one has**
donated to others.

**5**
고2 3월

6세 아이들은 기다리면 더 많은 과자를 얻게 될 거라고 자신에게 상기시키며, 혼잣말을 하고 노래를
흥얼거렸다. (would, get, treats, wait)      treat 과자

→ The 6-year-olds spoke and sang to themselves, reminding themselves _____
_____ .

**6**
고2 6월 응용

만약 모든 사람들이 두려움에 의해 동기를 부여받으면, 그 어떤 창조적인 것도 성취될 수 없다.
(everyone, motivate, fear, would, ever, achieve)

→ _____, nothing creative _____.

**7**
고2 11월

그것은 당신이 경기를 보러 가지 않았다면 했을 일이다. (do, go to the game)

→ It is what _____ .

**구조+해석**   가정법 표현 표시하고 해석하기    본책 문장 LINK

SAMPLE
고2 3월

[When I was young], my parents / worshipped / medical doctors [as if   730
they were exceptional beings ⟨possessing godlike qualities⟩].   as if+

S / V(과거) / as if+
S+V(과거)

→ 내가 어릴 때 부모님은 마치 그들이 신과 같은 재능을 지닌 뛰어난 존재인 것처럼 의사들을 우러러보았다.

**1**
고2 11월

Many of us live day to day as if the opposite were true.   729

→ _____

**2**
고2 9월

It appeared as though the entire sky had turned dark.   733

→ _____

**3**
고2 9월

Wisely, Voltaire left his name off the title page, otherwise its publication   738
would have landed him in prison again for making fun of religious beliefs.

→ _____

**4**
고1 3월

Without eustress, you would never get this head start.   735

→ _____

**구문+서술형**   우리말과 같도록 표현 배열하기

SAMPLE
고1 3월

그러한 열정이 없었다면, 그들은 아무것도 이루지 못했을 것이다.   736
(nothing / without such passion, / they would have achieved)

→ Without such passion, they would have achieved nothing.

**5**
고2 3월

마치 당신이 긍정적이고, 쾌활하고, 행복하고, 호감이 가는 사람의 역할을 해보려는 것처   732
럼 행동하라. (act / for the role of / a positive, cheerful, happy, and likable
person / you were trying out / as though)

→ _____

**6**
고2 6월

돈이 없다면, 사람들은 물물 교환만 할 수 있을 것이다.   734
(people could / without money, / only barter)

→ _____

**7**
고1 6월

사회적 유대의 형성과 유지가 없었다면, 초기의 인간들은 아마도 그들의 물리적 환경에 대   737
처하거나 적응하지 못했을 것이다. (early human beings / of social bonds, / cope
with or adapt to / without the formation and maintenance / probably
would not have been able to / their physical environments)

→ _____

**구조+해석**   가정법 표현 표시하고 해석하기

SAMPLE
고2 11월 응용

**What would birthdays be like / without wrapping paper?**    wrapping paper 포장지
조동사의 과거형+S+V(원형): 의문문     without+명사구

→ 포장지가 없다면 생일이 어떻겠는가?

**1**
고2 3월 응용

Without donations, our center would not have enough funds to keep operating.
donation 기부

→ _____

**2**
고2 11월 응용

The women did not feel as though the cakes they made were "theirs."

→ _____

**3**
고2 3월

Treat everyone you meet as though you had just won an award for being the
very best person in your industry or as though you had just won the lottery.

→ _____

**4**
고2 3월 응용

The chances are good that she's fantastic. Otherwise, she wouldn't have been
chosen among thousands of musicians.

→ _____

**구문+서술형**   표현 활용하여 영작하기

SAMPLE
고1 11월

그것은 너무나 무서운 순간이어서 Morgan과 Sanz는 마치 그들이 유령들을 본 것처럼 달아났다.
(run away, see, ghost)

→ **It was such a frightening moment that** Morgan and Sanz ran away as if they saw ghosts.

**5**
고2 6월 응용

곤충에 의한 꽃가루받이가 없다면, 과일들은 귀하고 값이 비싸지게 될 것이다.
(without, pollination, become, rare, expensive)    pollination 꽃가루받이

→ _____ **done by insects,** _____ **.**

**6**
고2 9월 응용

그 소년은 마치 자신이 쫓기고 있는 것을 알고 있다는 듯이 그의 어깨 너머를 힐끔 보았다.
(glance over, shoulder, know, be pursued)    pursue 뒤쫓다

→ _____ **he was being pursued.**

**7**
고2 11월 응용

몇몇 학생들은 마치 그들이 실제보다 50살이 더 많은 것처럼 심지어 어깨를 앞으로 구부리고 걷기도
했다. (some, even, walk, be, older)

→ _____ **with their shoulders bent forwards**
**than they actually were.**

---

**구조+해석**  부정, 도치, 강조 표시하고 해석하기                  본책 문장  LINK

**SAMPLE**
고2 6월

The truth / is [that in the real world, / nobody operates alone].    741
                                    전체 부정
→ 진실은 실제 세계에서 누구도 홀로 일하지 않는다는 것이다.

---

**1**
고2 6월 응용

Planting a seed does not necessarily require overwhelming intelligence.    744

→ _____

**2**
고1 11월

Only then did she turn and retrace her steps to the shore.    745

→ _____

**3**
고1 11월

It is the uncertainty of the result and the quality of the contest that    750
consumers find attractive.

→ _____

**4**
고2 3월

Unlike coins and dice, humans have memories and do care about wins    751
and losses.

→ _____

---

**구문+서술형**  우리말과 같도록 표현 배열하기

**SAMPLE**
고2 9월

인생은 균형을 맞추는 행위이며, 우리의 도덕심도 그러하다.    746
(our sense of morality / is / and so / is / a balancing act, / life)
→ Life is a balancing act, and so is our sense of morality.

---

**5**
고2 3월 응용

그 거짓말 중 어느 것도 그 왕에게 그가 최고의 거짓말을 들었다고 확신을 주지 못했다.    740
(the king / none of those lies / the best one / that he had listened to /
convinced)

→ _____

**6**
고2 9월 응용

녹음기를 사용하는 것은 일부 단점이 있으며 항상 최고의 해결책은 아니다.    743
(the best solution / has / using a recorder / and is / some disadvantages
/ not always)

→ _____

**7**
고1 11월

땅 위에 있는 것을 만드는 것은 바로 '땅 아래에' 있는 것이다.    749
(what's above the ground / that creates / it's / what's *under the ground*)

→ _____

**8**
고2 11월

당신의 목소리는 다른 소녀들과 전혀 조화를 이루지 못하고 있다.    755
(your voice / with the other girls / is not / at all / blending in)

→ _____

**구조+해석** 부정, 도치, 강조 표시하고 해석하기

**SAMPLE**
고1 11월응용

<u>Nor</u> / <u>do we consider</u> / one of the major reasons.
부정어     조동사+S+V(원형): 도치

→ 우리는 주요한 이유 중 하나를 고려하지 않는다.

**1**
고2 3월

Nothing happens immediately, so in the beginning we can't see any results from our practice.                                                                    immediately 즉시

→ _____

**2**
고2 6월응용

Analyzing people to understand their personalities is not all about potential economic or social benefit.                                    personality 성격

→ _____

**3**
고1 11월응용

As the human capacity to speak developed, so did our ability to trick prey.
capacity 능력

→ _____

**4**
고1 11월

It's the seeds and the roots that create those fruits.

→ _____

**구문+서술형** 표현 활용하여 영작하기

**SAMPLE**
고2 9월

그것들 중 어떤 것도 영어로 바로 번역될 수 없다.
(not, one, directly, translate into)                                    directly 바로

→ Not one of them can be directly translated into English.

**5**
고2 11월응용

오직 당신이 이해한 것을 즉각적으로 기억할 수 있을 때 당신은 명인의 경지에 이른다.
(only when, instantly, recall, achieve mastery)                    recall 기억하다

→ _____ what you understand _____.

**6**
고2 6월

당신이 보지 못하는 그 트럭? 그것은 정말 거기에 있다! 그리고 당신의 맹점들도 그러하다.
(so, blind spot)                                                    blind spot 맹점

→ That truck you don't see? It's really there! _____.

**7**
고2 3월

우리는 수업을 열기 위해서 적어도 다섯 명의 참가자가 꼭 필요합니다!
(do, need, at least, participant)                                    at least 적어도

→ _____ to hold classes!

**8**
고2 6월응용

그때 당신은 당신이 실제로는 전혀 움직이지 않고 있다는 것을 깨닫는다.
(actually, move, at all)                                            actually 실제로

→ Then you realize that _____.

**구조+해석** 삽입, 동격, 생략 표시하고 해석하기

본책 문장 LINK

**SAMPLE**
고1 11월

The fact [that she had to leave everything ⟨she knew⟩] broke / her heart. `760`

→ 그녀가 알고 있었던 모든 것을 떠나야 한다는 사실이 그녀의 마음을 아프게 했다.

**1**
고2 11월응용

Beebe began to consider the possibility of diving with a deep-sea vessel to study marine creatures in their natural habitat. `762`

→ _____

**2**
고2 11월

My family said I could sing, but the teacher said I couldn't. `765`

→ _____

**3**
고2 11월

Why does garbage exist in the human system but not more broadly in nature? `767`

→ _____

**4**
고2 3월

While there, he saw German and Flemish artworks that influenced him greatly, especially the work of Jan van Eyck. `770`

→ _____

**구문+서술형** 우리말과 같도록 표현 배열하기

**SAMPLE**
고2 6월

Wiseman의 결론은, '운이 나쁜' 사람들은 도전 과제에 직면했을 때 융통성을 덜 발휘한다는 것이었다. (when faced with a challenge, / less flexible / Wiseman's conclusion / was that, / 'unlucky' people were) `771`

→ Wiseman's conclusion was that, when faced with a challenge, 'unlucky' people were less flexible.

**5**
고2 3월

몇 년 후, 이제 십 대인 Yolanda는 자신의 할머니를 다시 찾아왔다. (now a teenager, / Yolanda, / came to visit / in a few years, / her grandmother again) `764`

→ _____

**6**
고2 3월

음식이 유전자 발현에 특정한 영향을 미친다는 생각은 비교적 새로운 것이다. (that food has a specific influence / relatively new / the notion / on gene expression / is) `761`

→ _____

**7**
고2 11월

그 이미지는 전통적인 한국 부채 무용인 부채춤을 보여 준다. (a traditional Korean fan dance / shows / Buchaechum, / the image) `763`

→ _____

**8**
고2 3월응용

그는 아버지가 그에게 그렇게 하기를 원하는 방식으로 새들을 보고 들어야 한다. (he / the way / has to see and hear birds / the father wants / to / him) `768`

→ _____

**구조+해석** 삽입, 동격, 생략 표시하고 해석하기

SAMPLE
고1 11월응용

[When faced with faced perceived threats], people cling more tightly / to their
= When they[people] are faced
groups.
→ 인지된 위협들에 직면할 때, 사람들은 자신의 집단에 더 단단히 달라붙는다.

**1**
고2 3월

After all, nearly everyone has an idea about what types of activities are regarded
as sports and which are not.                                    be regarded as ~로 여겨지다
→ _____

**2**
고1 11월응용

Even with my foot on the brake, the car was going faster than I wanted it to.
→ _____

**3**
고1 11월

Clara, an 11-year-old girl, sat in the back seat of her mother's car with the
window down.
→ _____

**4**
고2 6월응용

Incredibly, the plant has chosen to manufacture fructose, instead of glucose.
                                                    fructose 포도당   glucose 과당
→ _____

**구문+서술형** 표현 활용하여 삽입, 동격 또는 생략 구문 영작하기

SAMPLE
고2 11월응용

모든 거짓말은 밝혀졌을 때 간접적인 해로운 영향들을 미치게 된다.
(when, discover, indirect, harmful, effect)                    indirect 간접적인
→ **All lying,** when discovered            , has indirect harmful effects      .

**5**
고2 6월

그는 인파 속에서 그의 아버지의 위치를 찾으려 했지만, 할 수 없었다.
(locate, among, sea of heads)                                  locate ~의 위치를 찾다
→ **He tried to** _____ .

**6**
고2 3월응용

바이올리니스트 Mischa Elman의 아버지인 Sol Elman은 다르게 생각했다.
(violinist, think, differently)
→ **Sol Elman,** _____, _____ .

**7**
고2 6월응용

그는 자동차를 좋아했고, 그는 그 회사를 좋아했으며, 그는 그 회사의 주식을 소유한다는 그 생각을
좋아했다. (like, idea, own, its, stock)                          own 소유하다   stock 주식
→ **He liked the cars, he liked the company, and** _____ .

**8**
고1 11월

문화 상대주의의 기본은 선과 악의 진정한 기준들이 실제로 존재하지 않는다는 개념이다.
(notion, no, standard, good and evil, actually, exist)         standard 기준
→ **The basis of cultural relativism is** _____ .

ANSWERS p. 46

옳은 문장에 ✓

**1**
고2 11월

a In the past, danger meant we either had to flee or fight.

b In the past, danger meant we either had to flee and fight.

flee 도망치다

**2**
고2 6월

a The seller can then take the money and buying from someone else.

b The seller can then take the money and buy from someone else.

**3**
고2 9월 응용

a The Sun is much bigger than Earth and has much more mass.

b The Sun is much bigger as Earth and has much more mass.

mass 질량

**4**
고2 11월 응용

a They had found one of the most significant sites.

b They had found one of the most significant site.

significant 중요한

**5**
고2 9월 응용

a If they didn't succeed, the army blames them.

b If they didn't succeed, the army would blame them.

blame 비난하다

**6**
고2 3월

a Walk, talk, and act as if you were already that person.

b Walk, talk, and act as if you are already that person.

**7**
고2 11월

a Little did the staff know that the clocks had not been switched off.

b Little the staff knew that the clocks had not been switched off.

staff 직원

**8**
고2 3월

a The thought of I could meet Evelyn soon lightened my walk.

b The thought that I could meet Evelyn soon lightened my walk.

lighten 가볍게 하다

# #차원이_다른_클라쓰
# #강의전문교재
# #고등교재

## 수학 교재

**●쉬운 개념서**
**짤강수학** 예비고~고3
수학(상), 수학(하), 수학Ⅰ, 수학Ⅱ, 확률과통계, 미적분

**●쉬운 입문서**
**수학입문** 예비고~고3
수학(상), 수학(하), 수학Ⅰ, 수학Ⅱ

**●수학 기본서**
**수학의 힘 알파** 고1~고3
수학(상), 수학(하), 수학Ⅰ, 수학Ⅱ, 확률과통계, 미적분

**●문제 유형서**
**수학의 힘 베타** 고1~고3
수학(상), 수학(하), 수학Ⅰ, 수학Ⅱ, 확률과통계, 미적분

**●4주 집중학습 기출문제집**
**내신 꼭** 고1~고3
고등수학, 수학Ⅰ, 수학Ⅱ

## 영어 교재

**●종합 기본서**
**체크체크 고등영어** 예비고~고1

**●고등 영어의 시작**
**처음 만나는 수능 구문** 예비고~고2
Starter, Basic

**●고등 영어의 시작**
**처음 만나는 수능 어법** 예비고~고2
Starter, Basic

**●필수 어휘 총 정리서**
**바로 VOCA** 예비고~고1
고교기본, 수능필수

기출문장으로 공략하는

# 처음 만나는 수능 구문

Workbook

*Basic*

**ANSWERS**

기본

CHUNJAE
EDUCATION, INC.

# 정답과 해설
## 포인트 ③가지

▶ 혼자서도 이해할 수 있는 기출문장 분석

▶ 구문에 맞는 바른 해석 수록

▶ 핵심 개념을 담은 친절한 해설

# UNIT 1 문장구조의 기초

핵심 개념 확인                                  **p. 7**

| 1 TRUE | 2 TRUE | 3 FALSE | 4 TRUE | 5 FALSE | 6 TRUE | 7 FALSE | 8 FALSE |

## UNIT 1 ‑ 1 1형식: 주어+동사      pp. 8-9

### 구조+해석     REVIEW

1 All my fear / disappeared!
     S        V

나의 모든 두려움이 사라졌다!

2 Bella's fears / lessened / and eventually went
     S      V₁              V₂

away.

Bella의 두려움은 줄어들었고 결국 사라졌다.

3 Sadie and Lauren / were / out there / with no
     S        V

rain gear.

Sadie와 Lauren은 우비도 없이 밖에 있었다.

4 On December 6th, / I / arrived / at University
              S    V

Hospital in Cleveland / at 10:00 a.m.

12월 6일, 오전 10시에 나는 Cleveland에 있는 University 병원에 도착했다.

### 구문+서술형

5 Sighted and blind athletes from 37 nations competed.

6 For the next two hours, the executives worked in groups.

7 One day, Kathy stood in front of the school.

8 The parking lot opens at 9 a.m.

### 구조+해석     NEW SENTENCES

1 Sadie's heart / fell.
     S      V

Sadie의 심장이 철렁했다.

2 To Edison's astonishment, / it / failed.
                    S    V

Edison이 놀랍게도, 그것은 실패했다.

3 The pleasant taste of this new beverage / soon
                   S

spread / beyond the monastery.
  V

이 새로운 음료의 좋은 풍미에 대한 소문은 이내 수도원 너머로 널리 퍼졌다.

4 The happiness, excitement, and a lot of fuel /
                      S

suddenly disappear.
      V

행복감, 즐거움, 많은 에너지원은 갑자기 사라진다.

### 구문+서술형

5 Suddenly, he slides down into the darkness.

6 In 2015, the number of participants in outdoor swimming decreased.

7 A computer works quickly and accurately.

8 He lectured widely in Europe, the Americas, Australia, Asia, and Africa.

## 구조+해석    REVIEW

1 Perhaps / the teacher / appears / stubborn.
              s       v      c
아마 그 선생님은 완고하게 보일지도 모른다.

2 Words like these / sound / good.
        s        v      c
이러한 말들은 훌륭하게 들린다.

3 Crowdfunding / is / a new and more collaborative
        s       v           c
way.
크라우드 펀딩은 새롭고 더 협력적인 방법이다.

4 Eventually, / attack / becomes / the best form of
              s       v        c
defence.
결국, 공격은 가장 좋은 형태의 방어 수단이 된다.

## 구문+서술형

5 I grew anxious.

6 Mary is an interior designer.

7 She became confident in her singing.

8 Our dangers today are high blood pressure or diabetes.

## 구조+해석    NEW SENTENCES

1 One possible answer / is / stress.
        s       v    c
하나의 가능한 답은 스트레스이다.

2 Ticket / is / valid / for 24 hours / from the first
   s    v    c
time of use.
표는 첫 사용으로부터 24시간 동안 유효하다.

3 I / became / a medical curiosity.
  s     v       c
나는 의학적 호기심의 대상이 되었다.

4 Instead of frustration and disappointment, /

you / feel / proud and excited.
  s    v      c
좌절과 실망 대신에, 여러분은 자랑스럽게 그리고 신나게 느낀다.

## 구문+서술형

5 Previous woodworking experience is not necessary.

6 For Madeleine, smartphones and tablets are complements.

7 An Indian fan dance looks very different from a Korean one.

8 Oftentimes frustration and dissatisfaction are actually the result of unrealistic expectations on our part.

## 구조+해석    REVIEW

1 People / love / heroes.
    s     v     o
사람들은 영웅들을 사랑한다.

2 She / approached / the woman.
   s      v       o
그녀는 그 여인에게 다가갔다.

3 I / recently attended / your lecture about recent
  s        v          o
issues in business.
나는 최근에 사업의 새로운 논쟁점에 대한 당신의 강연에 참석했다.

## 구조+해석    NEW SENTENCES

1 Her temperature / reached / 39.5 degrees
       s        v       o
Celsius.
그녀의 체온은 섭씨 39.5도에 달했다.

2 A friend of hers / bought / a house.
      s       v      o
그녀의 친구 중 한 명이 집을 샀다.

3 Day camp students / attend / a shortened
        s         v       o
version of the program.
주간 캠프 학생들은 단축 프로그램에 참여한다.

**4** Suddenly / <u>she</u> / <u>stopped</u> / <u>the song</u> / and
  <sub>S₁</sub>      <sub>V₁</sub>        <sub>O₁</sub>

<u>addressed</u> / <u>her</u> / directly.
  <sub>V₂</sub>      <sub>O₂</sub>

갑자기 그녀는 노래를 멈추었고, 그녀에게 곧바로 말을 걸었다.

**4** <u>Nast</u> / <u>made</u> / <u>lasting contributions</u> / to the
  <sub>S</sub>     <sub>V</sub>        <sub>O</sub>

American political and cultural scene.

Nast는 미국의 정치적 그리고 문화적 장면에 지속적인 공헌을 했다.

**5** One day, the old man invited him for a drink during the break time.

**6** They affect people's mood.

**7** That day, the young woodcutter brought 15 trees to their boss.

**8** The farmer quickly developed a strong friendship with him.

**5** They voluntarily suggest creative ideas.

**6** I entered the hospital for a rare disease.

**7** In the summer after her seventh-grade year, Sloop attended a camp for gifted kids.

**8** Your personality and sense of responsibility affect your learning abilities and style.

---

**UNIT 1**  **4, 5 4형식: 주어＋동사＋간접목적어＋직접목적어, 5형식: 주어＋동사＋목적어＋보어**  pp. 14-15

**구조+해석**                                        REVIEW

**1** <u>Philosophers</u> / <u>call</u> / <u>it</u> / *utilitarianism*.
  <sub>S</sub>             <sub>V</sub>    <sub>C</sub>

철학자들은 그것을 '공리주의'라고 부른다.

**2** <u>The farmer</u> / <u>offered</u> / <u>him</u> / <u>lamb meat and</u>
  <sub>S</sub>           <sub>V</sub>      <sub>IO</sub>    <sub>DO</sub>

<u>cheese</u>.

농부는 그에게 양고기와 치즈를 제공했다.

**3** <u>Her work</u> / <u>won</u> / <u>her</u> / <u>a Prince Claus Award</u>.
  <sub>S</sub>        <sub>V</sub>   <sub>IO</sub>    <sub>DO</sub>

그녀의 업적은 그녀에게 Prince Claus 상을 얻어주었다.

**4** <u>This</u> / <u>makes</u> / <u>us</u> / <u>more confident</u> / in said beliefs.
  <sub>S</sub>    <sub>V</sub>    <sub>O</sub>     <sub>C</sub>

이것은 우리가 (말로) 서술된 믿음에 더 확신하게 만든다.

**구조+해석**                                   NEW SENTENCES

**1** <u>I</u> / <u>owe</u> / <u>you</u> / <u>no money</u>!
  <sub>S</sub>  <sub>V</sub>  <sub>IO</sub>   <sub>DO</sub>

나는 너에게 한 푼도 빚지지 않았어!

**2** <u>His bold rescue of their daughter</u> / <u>made</u> / <u>him</u>
                                              <sub>V</sub>   <sub>O</sub>

/ <u>a treasured member of the family</u>.
       <sub>C</sub>

그들의 딸을 대담하게 구조한 것은 그를 그 가족의 소중한 구성원으로 만들었다.

**3** One evening / <u>my youngest daughter, Kelly</u>, /
                      <sub>S</sub>

<u>handed</u> / <u>me</u> / <u>an envelope</u>.
  <sub>V</sub>    <sub>IO</sub>    <sub>DO</sub>

어느 날 저녁에 나의 막내딸인 Kelly가 나에게 봉투 하나를 건넸다.

**4** <u>Poetry</u> / <u>makes</u> / <u>us</u> / <u>more keenly and fully</u>
  <sub>S</sub>     <sub>V</sub>    <sub>O</sub>         <sub>C</sub>

<u>aware of life</u>.

시는 우리가 더욱 날카롭고 완전하게 삶을 인식하게 한다.

**5** The owner gave her some food.

**6** A co-worker asks you the same question.

**7** They made him Consulting Engineer of G.E.

**8** This made the customer speechless.

**5** The overabundance of options in today's marketplace gives you more freedom of choice.

**6** Some repetition gives us a sense of security.

**7** Internal conflict makes the company vulnerable to outside threats.

**8** This sense of wonder and desire for understanding makes us human.

| 1 a | 2 b | 3 a | 4 a | 5 b | 6 b | 7 b | 8 a |
|-----|-----|-----|-----|-----|-----|-----|-----|

**1** 문장의 주어 자리이므로, 주격 대명사 He(그는)가 알맞다.
그는 1923년 Chicago에서 심장병으로 사망했다.

**2** 2형식 문장의 보어 자리이므로 형용사가 알맞다.
어두운색은 무거워 보이고, 밝은색은 덜 그렇게 보인다.

**3** 동사 attend는 '~에 다니다'로 해석되지만, 뒤에 전치사가 없이 목적어가 바로 오는 동사이다.
그는 Columbia 대학에 다녔다.

**4** 3형식 문장의 목적어 자리이므로 목적격 대명사 them(그것들을)이 알맞다.
나는 늘 그것들을 발견한다.

**5** 4형식 문장을 3형식으로 바꿀 때 teach는 간접목적어 앞에 전치사 to를 쓰는 동사이다.
아무도 여러분에게 이것을 가르쳐 주지 않았다.

**6** 목적어가 두 개 오는 4형식 문장에서는 '~에게'로 해석되는 간접목적어가 먼저 와야 한다.
그녀는 그녀에게 작은 카드를 건넸다.

**7** 5형식 문장은 「주어+동사+목적어+보어」 순으로 써야 한다.
시뮬레이션은 기록된 자료를 더 잘 이해할 수 있게 만들어 준다.

**8** 목적어 the chase를 보충 설명하는 목적격보어로, 형용사 difficult가 알맞다.
토끼는 코요테의 추격을 더 어렵게 한다.

# UNIT 2 동사: 시제

## 핵심 개념 확인                                                        p. 17

| 1 TRUE | 2 FALSE | 3 FALSE | 4 TRUE | 5 TRUE | 6 FALSE | 7 TRUE | 8 FALSE |
|--------|---------|---------|--------|--------|---------|--------|---------|

## UNIT 2 — 1 단순시제: 현재, 과거, 미래                                        pp. 18-19

**구조+해석**                                                        REVIEW

**1** Our team / will not cause / any issues / to public
          V(미래)
services or other park visitors.

우리 팀은 공공 시설물이나 다른 공원 방문객들에게 어떠한 문제도 일으키지 않을 것이다.

**2** Attitude / provides / safe conduct / through all
              V(현재)
kinds of storms.

태도는 온갖 폭풍우를 헤쳐 나갈 안전 통행권을 제공한다.

**3** In the midst of the chaos, / an unbelievable peace /

embraced / me.
  V(과거)
혼돈 속에서, 믿을 수 없는 평화가 나를 감쌌다.

**4** In the years before World War I, / aircraft makers /

slowed down / innovation.
  V(과거)
제1차 세계 대전 이전에는, 항공기 제조사들이 혁신을 늦추었다.

**구조+해석**                                                        NEW SENTENCES

**1** The prices of these items / are / dependent / on
                                V(현재)
the prices of the physical commodities.

이러한 물품들의 가격은 실물의 가격에 의해 좌우된다.

**2** One word / makes / a world of difference: /
              V(현재)
attitude!

하나의 단어가 엄청난 차이를 만든다. 바로, 태도!

**3** Each student / will leave / with a hand-crafted
                    V(미래)
side table.

각각의 학생은 수작업으로 만든 보조 탁자를 가져가게 될 것이다.

**4** David Hilbert, / a German mathematician, /

identified / 23 unsolved problems / in 1900.
  V(과거)
독일 수학자인 David Hilbert는 1900년에 23개의 풀리지 않는 문제를 규정했다.

5 Yesterday they were in love with your idea.

6 Our world today is comparatively harmless.

7 Ethical and moral systems are different for every culture.

8 Flower arrangements will be on display until May 9, 2020.

5 Your experience and knowledge will benefit our businesses in many ways.

6 Feeling and emotion are crucial for everyday decision making.

7 Between 1995 and 1998, the number of US dailies on the web grew from 175 to 750.

8 The aroma of the kitchens excited my taste buds.

---

**UNIT 2** | 2 완료형: 현재/과거/미래 완료 — pp. 20-21

### 구조+해석 — REVIEW

1 Since 1992 / badminton / has been / an Olympic sport!
   V(현재완료)

1992년 이래로 배드민턴은 올림픽 스포츠가 되었다!

2 For years, / she / had got / no news of her son.
   V(과거완료)

몇 년 동안, 그녀는 아들의 소식을 듣지 못했다.

3 I / will have lived / in this apartment / for ten
   V(미래완료)
years / as of this coming April.

나는 오는 4월이면 이 아파트에 10년 동안 살고 있는 중일 것이다.

4 The innocent spring shower / had turned / into a
   V(과거완료)
raging thunderstorm.

온순한 봄 소나기가 맹렬한 뇌우로 바뀌었다.

### 구조+해석 — NEW SENTENCES

1 Credit arrangements / have existed / in all
   V(현재완료)
known human cultures.

신용 거래는 모든 알려진 인류 문화에 존재해 왔다.

2 Many of the plants' discoveries / in chemistry
and physics / have served / us / well.
   V(현재완료)
화학과 물리학에서 식물들이 발견한 것 중 상당수가 우리에게 매우 도움이 되어 왔다.

3 Edison / had not taken into account / legislators'
   V(과거완료)
habits.

Edison은 의원들의 습관을 고려하지 않았다.

4 Much the same / has happened / with smartphones
   V(현재완료)
and biotechnology today.

오늘날 스마트폰과 생명공학에서도 거의 똑같은 상황이 생기고 있다.

### 구문+서술형

5 Schreiber has suffered from addictive exercise tendencies.

6 By his death in 1940, he had created an impressive amount of work.

7 Parents have expressed concern for the safety of their children.

8 She had lost all of her belongings, and had only $5 in cash.

### 구문+서술형

5 had been homeless since his wife died about a decade ago

6 Harris's life has turned completely around

7 His calculations are, they have saved many pilots

8 communities have forged their identities through dance rituals

## 구조+해석    REVIEW

1 In today's version of show business, / the business part / is happening / online.
V (현재진행)
오늘날의 쇼 비즈니스에서, 비즈니스 부분은 온라인상에서 일어나고 있다.

2 I / have been using / your coffee machines / for several years.
V (현재완료진행)
나는 당신(귀사)의 커피 머신을 수년 동안 사용해 오고 있다.

3 This month, / we / will be holding / a "parent-child" look-alike contest!
V (미래진행)
이번 달에, 우리는 '부모-아이' 닮은꼴 경연을 개최하고 있을 것이다!

4 His family members / had been searching for / him / for 16 years.
V (과거완료진행)
그의 가족 구성원들은 16년 동안 그를 찾아 오고 있던 중이었다.

## 구문+서술형

5 We are requesting the installation of speed bumps on Pine Street.

6 Humans have been drinking coffee for centuries.

7 One night, my family was having a party with a couple from another city.

8 The family had been thinking of giving the dog to someone.

## 구조+해석    NEW SENTENCES

1 We've been working / up to this deadline.
V (현재완료진행)
우리는 이 마감 기한까지 작업해 오고 있다.

2 I / was sitting / outside a restaurant in Spain / one summer evening.
V (과거진행)
나는 어느 여름날 저녁 스페인의 한 식당 밖에 앉아 있었다.

3 With drone delivery systems, / fewer transportation carriers / will be traveling / on roads.
V (미래진행)
드론 배달 시스템으로, 더 적은 수송 수단들이 도로 위를 주행하고 있을 것이다.

4 I / am currently teaching / World History / at Dreamers Academy.
V (현재진행)
나는 현재 Dreamers Academy에서 세계사를 가르치고 있다.

## 구문+서술형

5 People are listening to music through headphones a lot.

6 The use of drones in science has been increasing.

7 The tree was swaying dangerously.

8 A priest was sharing a story about newborn twins.

## UNIT 2 REVIEW QUIZ    p. 24

| 1 a | 2 b | 3 a | 4 a | 5 b | 6 b | 7 b | 8 a |

1 현재완료는 「have[has]+p.p.」 형태가 알맞다.
그는 60회 이상 그랜드슬램 대회에 참가했다.

2 과거를 나타내는 in 1880이 있으므로, 과거 시제가 알맞다.
1880년에 Bull은 암으로 자신의 집에서 사망했다.

3 now가 쓰인 것으로 보아 현재 시제가 알맞다.
자동차 공유는 지금 익숙한 개념이다.

4 과거진행형은 「was/were+v-ing」 형태가 알맞다.
Jack은 Mark의 태도에 일조하고 있었다.

5 과거완료는 「had+p.p.」 형태가 알맞다.
Jane은 이전에 그녀를 본 적이 결코 없었다.

6 일반동사의 미래 시제는 「will+동사원형」으로 나타낸다.
등록은 행사 이틀 전에 마감될 것이다.

7 A long time ago가 쓰인 것으로 보아 과거 시제가 알맞다.
오래전에, 작은 마을의 한 농부에게 이웃이 하나 있었다.

8 과거완료진행형은 「had been+v-ing」 형태가 알맞다.
그와 그의 아내는 Aspen 음악 학교에서 수년 동안 가르쳐 오고 있었다.

# UNIT 3 동사: 수동태

| 1 TRUE | 2 TRUE | 3 TRUE | 4 FALSE | 5 TRUE | 6 FALSE | 7 TRUE | 8 FALSE |
|---|---|---|---|---|---|---|---|

## UNIT 3   1 3형식의 수동태    pp. 26-27

**구조+해석**    REVIEW

**1** The games / will be attended / by many college
S   V(수동태)
coaches.

그 경기들은 많은 대학 코치들에 의해 참석될 것이다.

**2** Medical services / are still not well distributed.
S   V(수동태)
의료 서비스는 여전히 공정하게 분배되지 않고 있다.

**3** His creativity / was praised / at the time / as the
S   V(수동태)
mark of genius.

그의 창의성은 그 당시에 천재성의 표시로 칭송받았다.

**4** Thomas Nast / was born / on September 27,
S   V(수동태)
1840, / in Landau, Germany.

Thomas Nast는 1840년 9월 27일 독일 Landau에서 태어났다.

**구문+서술형**

**5** The invention of the mechanical clock was influenced by monks.

**6** Their vision is clouded by the first impression.

**7** Many inventions were invented thousands of years ago.

**8** Refreshments will be provided at the finish point.

**구조+해석**    NEW SENTENCES

**1** Ten years later, / the first train timetable / was
S   V(수동태)
issued.

10년 후, 최초의 열차 운행 시간표가 발표되었다.

**2** The sessions / will be taught / by the Busselton
S   V(수동태)
University Physics and Astronomy faculty.

수업은 Busselton 대학의 물리학과 천문학 교수진에 의해서 가르쳐질 것이다.

**3** Tours / are offered / Monday through Friday /
S   V(수동태)
at 11:30 a.m.

투어는 월요일부터 금요일까지 오전 11시 30분에 제공된다.

**4** The winners / will be announced / at 5:00 p.m. /
S   V(수동태)
on the day / on site.

우승자들은 현장에서 당일 오후 5시에 발표될 것이다.

**구문+서술형**

**5** I was directed to the waiting area.

**6** Parents and children are linked by certain rights, privileges, and obligations.

**7** Results will be posted on November 21 on the website only.

**8** All calls are prohibited inside the reading room.

## UNIT 3   2,3 4형식의 수동태, 5형식의 수동태    pp. 28-29

**구조+해석**    REVIEW

**1** In life, / our fruits / are called / our results.
S   V(수동태)   C
인생에서, 우리의 열매는 우리의 결과로 불린다.

**구조+해석**    NEW SENTENCES

**1** This activity / was hardly considered / a sport.
S   V(수동태)   C
이 활동은 거의 스포츠로 여겨지지 않았다.

**2** Consider / identical twins; / both individuals / are
<sub>V₁</sub>     <sub>O₁</sub>     <sub>S</sub>
given / the same genes.
<sub>V₂(수동태)</sub>    <sub>O₂</sub>
일란성 쌍둥이를 생각해 보라; 두 사람은 모두 똑같은 유전자를 부여받는다.

**3** This effect / will be made / worse / for regions /
<sub>S</sub>    <sub>V(수동태)</sub>    <sub>C</sub>
such as Africa.
이러한 영향은 아프리카와 같은 지역에 더욱 부정적으로 작용할 것이다.

**4** A recording of your presentation / will be given /
<sub>S</sub>        <sub>V(수동태)</sub>
to you / on a memory stick.
<sub>전치사+O</sub>
당신의 발표 녹화 영상은 메모리 스틱에 담겨서 당신에게 제공될 것이다.

### 구문+서술형

**5** Individuals are given credit for major breakthroughs.

**6** At one conference, the robots were called "caring machines."

**7** Confidence is often considered a positive trait.

**8** A blue sweater was given to her by her uncle Ed.

---

**2** Many years later, / Angela / was awarded / a
<sub>S</sub>    <sub>V(수동태)</sub>
New Directions Fellowship.
<sub>O</sub>
수년이 지나서, Angela는 New Directions Fellowship을 수여받았다.

**3** Many situations / are considered / a threat / by
<sub>S</sub>    <sub>V(수동태)</sub>    <sub>C</sub>
our brains.
많은 상황이 우리의 뇌에 의해 위협으로 간주된다.

**4** One of the dogs / was given / a better reward.
<sub>S</sub>    <sub>V(수동태)</sub>    <sub>O</sub>
개들 중 한 마리는 더 나은 보상을 받았다.

### 구문+서술형

**5** You are shown a long list of names.

**6** In 1849, he was appointed the first professor of mathematics at Queen's College in Cork, Ireland.

**7** More than 1,000 Illinois residents were asked questions about welfare.

**8** Most of the members of the human race are not left the option.

---

## UNIT 3   4 주의할 수동태 pp. 30-31

### 구조+해석      REVIEW

**1** The recommendation / has since been adopted, /
<sub>V(현재완료 수동태)</sub>
with some modifications, / almost everywhere.
그 권고는 그 후 일부 수정을 거쳐 거의 모든 곳에서 채택되었다.

**2** During the war, / he / was involved in / naval
<sub>V(수동태+전치사)</sub>
weapons research.
전쟁 중에, 그는 해군 무기 연구에 참여했다.

**3** The apartment / had been recently painted.
<sub>V(과거완료 수동태)</sub>
그 아파트는 최근에 도색되었다.

**4** She / was always disappointed about / her
<sub>V(수동태+전치사)</sub>
performance / despite her efforts.
그녀는 그녀의 노력에도 불구하고 그녀의 성취에 항상 실망했다.

### 구조+해석      NEW SENTENCES

**1** Xia Gui / is known today as / one of China's
<sub>V(수동태+전치사)</sub>
greatest masters of landscape painting.
Xia Gui는 오늘날 중국 풍경화의 대가들 중 한 명으로 알려져 있다.

**2** As a result, / students / are actively involved in /
<sub>V(수동태+전치사)</sub>
knowledge construction.
결과적으로, 학생들은 지식의 구성에 적극적으로 관여된다.

**3** He / was satisfied with / himself / and with his
<sub>V(수동태+전치사₁)</sub>    <sub>전치사₂</sub>
decision.
그는 자기 자신과 자신의 결정에 만족했다.

**4** Over the years, / memory / has been given / a
<sub>V(현재완료 수동태)</sub>
bad name.
수년간, 기억은 오명을 받아 왔다.

구문+서술형

5 His hands and face were covered in wrinkles.

6 Much has been written and said about positive self-talk.

7 He was amazed at the power of the wind.

8 As of mid-morning Tuesday, close to $152,000 had been donated.

구문+서술형

5 Public issues have been discussed in public forums.

6 It is known as a limiting factor.

7 Then she was faced with a serious challenge.

8 So much material is being written.

---

## UNIT 3  REVIEW QUIZ p. 32

| 1 a | 2 b | 3 b | 4 a | 5 b | 6 a | 7 b | 8 a |
|-----|-----|-----|-----|-----|-----|-----|-----|

1 수동태 문장에서 행위자는 「by+목적어」 형태가 알맞다.
한 예가 행동 생태학자들에 의해 발견되었다.

2 주어와 동사가 수동 관계이므로, 현재완료 수동태 「have been +p.p.」가 알맞다.
많은 양의 데이터 집합이 구축되어 왔다.

3 과거완료 수동태는 「had been+p.p.」 형태가 알맞다.
그는 깊은 인상을 받았다.

4 '~에 흥분하다'라는 의미의 관용적 표현의 수동태는 be excited about이 알맞다.
Lisa는 이 프로젝트에 흥분했다.

5 주어와 동사가 수동의 관계이므로 「will be+p.p.」 형태의 수동태가 알맞다.
준비를 끝마치는 데 30분이 허용될 것이다.

6 「S+be+p.p.+O」 형태의 수동태 문장이 알맞다. 4형식 문장의 직접목적어는 전치사 없이 수동태 동사 뒤에 남는다.
한 실험에서 사람들은 5달러를 받았다.

7 '태어났다'는 의미가 되도록 「S+be+p.p.」 형태의 수동태 문장이 알맞다.
George Boole은 1815년에 영국 Lincoln에서 태어났다.

8 「S+be+p.p.+C」 형태의 수동태 문장이 알맞다.
그 두 재화는 보완재라고 불린다.

---

# UNIT 4    동사: 조동사

## 핵심 개념 확인 p. 33

| 1 TRUE | 2 FALSE | 3 TRUE | 4 FALSE | 5 TRUE | 6 FALSE | 7 FALSE | 8 TRUE |
|--------|---------|--------|---------|--------|---------|---------|--------|

---

## UNIT 4    1 조동사: 능력, 허가, 의무, 충고 pp. 34-35

구조+해석                                    REVIEW

1 The Greeks / were able to understand / right and
　　　　　　　 V(능력: be able to+동사원형)
wrong / in their lives.

그리스인들은 그들의 삶에서 옳고 그름을 이해할 수 있었다.

2 An individual student or a group of students /

may submit / a video.
V(허가: may+동사원형)
개별 학생 혹은 학생들 그룹으로 영상물을 제출할 수 있다.

구조+해석                                NEW SENTENCES

1 Currently, / we / have to practice / twice a week
　　　　　　　　　 V(의무: have to+동사원형)
/ in the multipurpose room.

현재, 우리는 일주일에 두 번 다목적실에서 연습해야 한다.

2 The formulas / should appear / identical / to
　　　　　　　　 V(의무: should+동사원형)
any two observers.

그 공식들은 두 명의 관찰자와 동일하게 나타나야 한다.

**3** I / must decline / the recommendation.
V(의무: must+동사원형)
나는 그 추천을 거절해야만 한다.

**4** The participants / should make a reservation /
V(의무: should+동사원형)
no later than May 31.

참가자들은 늦어도 5월 31일까지는 예약해야 한다.

**5** You may purchase a gift membership at any of the following levels.

**6** New entrants have to fight their way through "patent thickets."

**7** A bridge must not upset the balance of the environment.

**8** Enforcement of the limit should be consistent and firm.

**3** We / should have / an open mind, / and should
V₁(의무: should+동사원형)    V₂(의무: should+동사원형)
consider / all relevant information.

우리는 개방적인 마음을 가져야 하고, 관련된 모든 정보를 고려해야 한다.

**4** The limit / must be / reasonable / in terms of
V(의무: must+동사원형)
the child's developmental level.

제한은 아이의 발달 수준의 측면에서 합당해야 한다.

**5** We can't see atoms, or even the tiny creatures in puddles of rain water.

**6** We should emphasize all the good things.

**7** The plumber was not able to adjust the lever inside the toilet tank.

**8** We must define the problem's scope and goals.

---

**UNIT 4** | **2** 조동사: 가능성, 추측, should | pp. 36–37

**1** Situational explanations / can be / complex.
V(가능성·추측: can+동사원형)
상황적 설명은 복잡할 수 있다.

**2** "I / must be losing / my strength," / the young
V'(가능성·추측: must+동사원형(be)+v-ing)
man / thought.
V
"나는 힘이 빠지고 있음에 틀림없어."라고 젊은 나무꾼은 생각했다.

**3** Swedish law / requires [that at least two
V(요구)
newspapers / be published / in every town].
V'((should+)동사원형)
스웨덴 법은 모든 마을마다 적어도 두 개의 신문들이 발행되어야만 한다고 요구한다.

**4** Our project / would benefit greatly / from your
V(가능성·추측: would+동사원형)
cooperation.

우리 프로젝트는 당신의 협조로 크게 혜택을 받을 것이다.

**1** This / may appear / rude / to native speakers of
V(가능성·추측: may+동사원형)
English.

이것은 영어를 모국어로 쓰는 사람들에게는 무례하게 보일지도 모른다.

**2** We / might accept / it / as fact, / as confirmation
V(가능성·추측: might+동사원형)
of our beliefs.

우리는 그것을 사실로써, 우리의 믿음에 대한 확인으로써 받아들일지도 모른다.

**3** I / would greatly appreciate / your assistance /
V(가능성·추측: would+동사원형)
in this.

당신이 이 일에 도움을 준다면 정말 감사할 것이다.

**4** Government regulations / require [that sugar /
V(요구)
be listed first / on the label].
V'((should+)동사원형)
정부 규정은 설탕이 라벨에 첫 번째로 기재될 것을 요구한다.

구문+서술형

5 On the way to work, you might put gasoline in your car.

6 He suggested to his son that he go ask the question to the elephant trainer.

7 Sudden success or winnings can be very dangerous.

8 A reduction in prices might see a temporary increase in sales for the seller.

구문+서술형

5 You might catch information on TV or in the newspaper.

6 Globalization would inevitably bring us closer together.

7 It can be the start of any kind of addiction or manic behavior.

8 From the street these houses may look like the simple sea captains' mansions.

구조+해석　REVIEW

1 I / have heard / wonderful things / about your
V₁

company / and would love to join / your team.
V₂(바람·소망: would love to+동사원형)

나는 당신의 회사에 대한 놀라운 일들에 대해 들어 왔고, 당신의 팀에 합류하기를 바란다.

2 Four outs in a row / may have been / bad luck.
V(과거의 추측: may+have p.p.)

연이은 네 번의 아웃은 불운이었을 수도 있다.

3 Chinese priests / used to dangle / a rope / from
V(과거의 습관: used to+동사원형)

the temple ceiling.

중국의 사제들은 밧줄을 사원 천장에 매달곤 했다.

4 For many of the habits, / there must have been /
V(과거의 추측: must+have p.p.)

some value.

많은 습관에 대해서, 어떤 가치가 있었음에 틀림없다.

구문+서술형

5 Tomorrow's menu of the ancient foragers' might have been completely different.

6 He and I would search through patches of clover at our grandparents' house for hours.

7 We would like to film at Sunbury Park on November 14th, 2019, from 9 a.m. to 3 p.m.

8 I must have slept half the day.

구조+해석　NEW SENTENCES

1 I / would like to request / your permission / for
V(바람·소망: would like to+동사원형)

the absence of the players / from your school /

during this event.

나는 이 대회 동안 당신의 학교 선수들의 결석에 대한 당신의 허락을 요청하고 싶다.

2 Such an exaggerated tale of hardship / may have
V(과거의 추측: may+have p.p.)

increased / a product's value / to the consumer.

어려움에 대해 이렇게 과장된 이야기는 아마도 소비자에게 상품의 가치를 높였을지도 모른다.

3 From time to time / the balloon salesman /

would release / a brightly colored balloon.
V(과거의 습관: would+동사원형)

때때로 그 풍선 장수는 밝은 색상의 풍선을 풀어 놓곤 했다.

4 The trains / used to run / past their apartments.
V(과거의 습관: used to+동사원형)

열차들이 그들의 아파트를 지나쳐서 달리곤 했다.

구문+서술형

5 I must have taken her smile as permission

6 I used to look for four-leaf clovers a lot

7 You may have studied specific facts

8 I would only say words of encouragement

| 1 a | 2 a | 3 b | 4 a | 5 b | 6 b | 7 b | 8 a |
| --- | --- | --- | --- | --- | --- | --- | --- |

1 추측을 나타내는 조동사 may가 알맞다. 조동사는 주어의 영향으로 형태가 바뀌지 않는다.
당신의 작업 공간은 당신의 성격에 대해 많은 것을 드러낼 것이다.

2 조동사 can 뒤에는 동사원형이 와야 하므로 dig이 알맞다.
그것은 터널을 파고 고층 건물을 지을 수 있다.

3 과거 사실에 대한 추측은 「might+have+p.p.」 형태가 알맞다.
그것이 사람들에게 동기를 부여했을지도 모른다.

4 '~하고 싶다'라는 의미의 조동사 표현은 would like to이다.
나는 너에게 무엇인가를 주고 싶다.

5 have to 뒤에는 동사원형이 와야 하므로 go가 알맞다.
당신은 밖으로 나가야 한다.

6 조동사 should 뒤에는 동사원형이 와야 하므로 be가 알맞다. 「be+p.p.」는 수동태이다.
영상물은 6월 1일부터 8월 31일 사이에 제출되어야 한다.

7 과거의 습관을 나타내는 조동사 would 뒤에는 동사원형이 알맞다.
우리는 각자 네 잎 클로버를 '만들곤' 했다.

8 주장을 나타내는 동사 insist의 목적어로 쓰인 that절이 당위성을 나타낼 때 that절의 동사는 「(should+)동사원형」이 알맞다.
그는 William이 잠자리에 들어야 한다고 주장했다.

# UNIT 5 주어

## 핵심 개념 확인 p. 41

| 1 FALSE | 2 FALSE | 3 FALSE | 4 FALSE | 5 TRUE | 6 TRUE | 7 FALSE | 8 TRUE |
| --- | --- | --- | --- | --- | --- | --- | --- |

### UNIT 5 1 명사와 명사구 주어 pp. 42-43

**구조+해석** REVIEW

1 She / counted out / the coins / from her piggy
  S(대명사)　　 V
bank.

그녀는 그녀의 돼지 저금통에서 동전들을 세면서 꺼냈다.

2 Scooter companies / provide / safety regulations.
  S(명사구)　　　　 V
스쿠터 회사들은 안전 규정을 제공한다.

3 The average life span 〈of an impala〉 is / between
  S(명사구)　　　　　　　　　 V
13 and 15 years / in the wild.

임팔라의 평균 수명은 야생에서 13년에서 15년 사이이다.

4 To be unable to distinguish a brother-in-law / as
  S(to부정사구)
the brother of one's wife or the husband of one's

sister / would seem / confusing.
　　　　 V

brother-in-law를 아내의 남자 형제인지 여자 형제의 남편인지 구별할 수 없는 것은 혼란스럽게 보일 것이다.

**구조+해석** NEW SENTENCES

1 We / can choose / an appropriate de-biasing
  S(대명사)　 V
strategy.

우리는 적절한 반 편견 전략을 선택할 수 있다.

2 Cutting costs / can improve / profitability / but
  S(동명사구)　　　　 V
only up to a point.

비용을 절감하는 것은 수익성을 향상시킬 수 있지만, 어느 정도까지만이다.

3 My hands / were trembling / due to the anxiety.
  S(명사구)　　　 V
내 손은 불안감 때문에 떨리고 있었다.

4 Combining the strengths of these machines / with
  S(동명사구)
human strengths / creates / synergy.
　　　　　 V

이러한 기계들의 강점과 인간의 강점을 결합하는 것은 시너지를 생성한다.

5 Business looked like a zero-sum game.

6 Achieving focus in a movie is easy.

7 To trigger desire in a child is to trigger desire in the whole family.

8 The habitat of the tarsier is generally tropical rain forest.

5 Inserting[To insert] seeds and watching[to watch], is easy

6 They jumped the fence frequently and chased

7 The owner of the restaurant heard her story

8 The apple is very small, doesn't have much mass

---

1 [That a woman in her 80s can breakdance]
S(명사절: That+S+V)
surprises / younger people.
  V
팔십 대의 여인이 브레이크 댄스를 출 수 있다는 것은 더 젊은 사람들을 놀라게 한다.

2 [What differed in both of these situations] was /
S(명사절: What+V ~)                             V
the price context of the purchase.

이 두 상황 모두에서 달랐던 것은 구매의 가격 맥락이었다.

3 [How you address your professors] depends on /
S(명사절: How+S+V ~)                        V
many factors, / such as age, college culture, and

their own preference.

당신이 당신의 교수들을 어떻게 부를 것인지는 나이, 대학 문화, 그리고 교수 자신의 선호도 같은 많은 요인들에 달려 있다.

1 [What benefits consumers] can simultaneously
S(명사절: What+V ~)                  V(조동사+동사원형)
increase / unemployment / and decrease / wages.
                                        (동사원형)
소비자들에게 이득이 되는 것이 동시에 실업을 증가시키고, 임금을 감소시킬 수 있다.

2 [Whether a customer's problem was solved
S(명사절: Whether+S+V ~)
immediately or not] had / an impact / on the
                     V
customer's perception.

고객의 문제가 즉시 해결되었는지 아닌지가 고객의 인식에 영향을 미쳤다.

3 [What distinguishes recycling] is not / its
S(명사절: What+V ~)              V
importance.

재활용을 구별하는 것은 그것의 중요성이 아니다.

4 What is needed is active engagement with children.

5 What makes it different is the relative height between a young child and an adult.

6 That we hold the power to influence our circumstances is a very reassuring thought.

4 What you say to yourself influences

5 What she said made

6 Whether you like her or not is a seperate matter

**구조+해석**    REVIEW

1 It / can be / helpful ⟨to read your own essay
   S(가주어)              S'(진주어: to부정사구)
   aloud⟩.

   당신 자신의 에세이를 큰 소리로 읽는 것이 도움이 될 수 있다.

2 A year later, / it / was / necessary ⟨to change the
                    S(가주어)              S'(진주어: to부정사구)
   door lock⟩.

   1년 뒤, 문 자물쇠를 교체하는 것이 필요했다.

3 It / is / now apparent [that we must move to an
   S(가주어)                S'(진주어: 명사절(that+S+V ~))
   assisted-living facility].

   우리가 생활 보조 시설로 이사를 해야만 한다는 것이 이제 분명
   하다.

4 It / is not / clear / just [where coffee originated]
   S(가주어)                S'₁(진주어: 명사절(where+S+V))
   or [who first discovered it].
      S'₂(진주어(명사절(who+V ~))
   단지 어디서 커피가 유래했는지 혹은 누가 그것을 처음 발견했는
   지는 분명하지 않다.

**구문+서술형**

5 It is indeed very striking how similar the ideas are.

6 It is difficult for them to see themselves fully
   through the eyes of others.

7 It doesn't matter whether you want to buy tea,
   coffee, jeans, or a phone.

8 It is nearly impossible for us to imagine a life
   without emotion.

**구조+해석**    NEW SENTENCES

1 It / was logical ⟨to include me⟩.
   S(가주어)              S'(진주어: to부정사구)
   나를 포함시키는 것이 타당했다.

2 It / is often said [that people make a living /
   S(가주어)                S'(진주어: 명사절(that+S+V ~))
   according to given circumstances].

   인간은 주어진 환경에 따라 생계를 유지하게 된다고들 흔히 말한다.

3 It / wasn't known [whether grains were cultivated
   S(가주어)                S'(진주어: 명사절(whether+S+V ~))
   for food / or for some other reason].

   곡물이 식량을 얻기 위해 재배된 것인지 혹은 다른 어떤 이유에서
   인지는 밝혀지지 않았다.

4 It's still / an emotional battle ⟨to change your
   S(가주어)                          S'(진주어: to부정사구)
   habits and introduce new, uncomfortable

   behaviors⟩.

   당신의 습관을 바꾸고 새롭고 불편한 행동들을 시작하는 것은
   여전히 감정적인 분투이다.

**구문+서술형**

5 It was once considered an amazing achievement
   to reach the summit of Mount Everest.

6 It was reasoned that the experience of failure
   would discourage students from future study.

7 It is[It's] possible to film children in classes and
   around school for a day.

8 It is[It's] easy to forget that our parents often know
   better.

**구조+해석**                                              REVIEW

1 It / was / a beautiful September morning.
S(비인칭 주어)                    시간
9월의 어느 화창한 날 아침이었다.

2 It / was / an unbearably hot Chicago day.
S(비인칭 주어)                  날(day)
견딜 수 없을 정도로 더운 시카고의 어느 날이었다.

3 It is not / the temperature at the surface of the
It is not                    강조 어구(S)
body [which matters].
    which+나머지 어구(V)
중요한 것은 몸의 표면 온도가 아니다.

4 It seems [that your cancellation request was sent
It seems    that ~
to us / after the authorized cancellation period].
당신의 취소 요구는 인가된 취소 기간 이후에 우리에게 보내진
것 같다.

**구문+서술형**

5 It would appear that conditions improved.

6 It is the second train that is moving in the
opposite direction.

7 At that very moment, it was he who showed me
the right way.

**구조+해석**                                         NEW SENTENCES

1 It / was / a Saturday morning / and we / looked
S(비인칭 주어)              시간
around.

토요일 아침이었고, 우리는 주위를 둘러보았다.

2 While some years, / it was / Mark [who stood
                    it was    강조어(S)   who+나머지 어구
first in the class].
(V+M)
어떤 해에는, 학급에서 일등을 한 사람이 바로 Mark였다.

3 It is / the temperature deep inside the body
It is              강조 어구(S)
[which must be kept stable].
  which+나머지 어구(V+C)
안정되게 유지되어야 하는 것은 바로 몸속 깊은 곳의 온도이다.

4 It seems [that a car sometimes has a magnifying
It seems    that ~
effect / on the size of a person's personal space].

때때로 자동차는 한 사람의 개인 공간의 크기를 확대하는 효과가
있는 것 같다.

**구문+서술형**

5 It was too early in the morning

6 It seems that young people no longer view good
health

7 It was here that the kings were crowned

**구조+해석**                                              REVIEW

1 Following just behind the baby girl / was / the
                    보어                    V      S
family's Alsatian dog.

그 어린 소녀의 바로 뒤에서 그 가족의 독일 셰퍼드종 개가 따라
가고 있었다.

2 There / is / a two-way interaction / between the
There   V    S
event and the context.

행사와 맥락 간에 쌍방향 상호 작용이 있다.

**구조+해석**                                         NEW SENTENCES

1 Then / there / appeared / before him / a ragged
        there        V                        S
man.

그때 그 앞에 누더기를 걸친 한 남자가 나타났다.

2 Standing behind them / was / Kathy, / a beautiful
        보어              V      S
five-year-old / with long shiny brown hair and

dark flashing eyes.

그들의 뒤에는 긴 빛나는 갈색 머리와 짙게 반짝이는 눈의 예쁜
다섯 살짜리 Kathy가 서 있었다.

**3** <u>From plants</u> / <u>come</u> / <u>chemical compounds</u>.
　　부사구　　　V　　　　　S

식물들로부터 화합물들이 나온다.

**4** <u>Rarely</u> / <u>are</u> / <u>phone calls</u> / urgent.
　　부정어　　V　　　S

전화들은 거의 긴급하지 않다.

**3** With the introduction of improved agricultural

equipment, / <u>there</u> / <u>is</u> / less / <u>need</u> 〈for male
　　　　　　　~~there~~　　V　　　　　S

muscular strength〉.

향상된 농업 장비가 도입됨에 따라, 남성의 근력에 대한 필요가
줄었다.

**4** <u>Included within</u> / <u>was</u> / <u>a round-trip airline</u>
　　　보어　　　　　V　　　　　　S

ticket to and from Syracuse and roughly $200 cash.

Syracuse로 갔다가 돌아오는 왕복 항공권과 약 200달러의
현금이 안에 포함되어 있었다.

**구문+서술형**

**5** is an excellent example

**6** are copies of my receipts and guarantees

**7** had these subjects been considered appropriate
for artists

**구문+서술형**

**5** There were many aspects of the world around
them.

**6** There exists no vacuum in a vacuum cleaner.

**7** At the root of trained incapacity is a job with little
variety.

---

## UNIT 5 REVIEW QUIZ

p. 52

| 1 a | 2 b | 3 a | 4 a | 5 b | 6 b | 7 b | 8 a |
|-----|-----|-----|-----|-----|-----|-----|-----|

**1** 문장의 주어 자리이므로 동명사가 알맞다.
신속히 지불해 주시면 귀하의 회원 자격이 정상으로 회복될 것입니다.

**2** that이 이끄는 명사절이 문장의 진주어이므로, 문장 앞에는 가주어
It이 알맞다.
당신은 많은 선택 사항들과 선택지를 보게 될 가능성이 꽤 있다.

**3** 동사가 주어 자리에 올 때는 동명사나 to부정사의 형태가 되어야
하므로, To read가 알맞다.
비평적으로 읽는다는 것은 분석적으로 읽는다는 것을 의미한다.

**4** 주어 자리에 쓰인 명사절에 목적어가 없는 불완전한 구조이므로
What이 알맞다.
그들이 방금 먹은 것은 방울뱀 고기 샐러드였다.

**5** to부정사구가 진주어이므로, 문장 앞에는 가주어 It이 알맞다.
좋지 않은 선택을 불편한 장소에 숨기는 것 또한 도움이 된다.

**6** 「There+V+S」의 도치 구문에서 동사의 수는 뒤에 나오는 주어에
일치시키므로, is가 알맞다.
이러한 차이에 대한 생물학적 설명이 있다.

**7** It is[was] ~ that … 강조 구문의 주어로 It이 알맞다. 원래 문장의
주어를 강조하고 있으므로, that 뒤는 불완전한 구조를 이룬다.
네트워크 연결망을 통해 이동하는 것은 정보뿐만이 아니다.

**8** 시간을 나타내는 morning이 있으므로, 비인칭 주어 It이 알맞다.
"아직 아침이 아니잖아." Paul이 웅얼거렸다.

# UNIT 6 목적어

핵심 개념 확인          p. 53

| 1 TRUE | 2 TRUE | 3 TRUE | 4 TRUE | 5 FALSE | 6 FALSE | 7 FALSE | 8 TRUE |
|--------|--------|--------|--------|---------|---------|---------|--------|

## UNIT 6 | 1 명사와 명사구 목적어

pp. 54-55

### 구조+해석     REVIEW

**1** He / regretted / fixing up the old man's bicycle.
       V              O(동명사구)
그는 그 노인의 자전거를 수리한 것을 후회했다.

**2** Participants / may forget / to be nervous.
             V       O(to부정사구)
참가자들은 불안해하는 것을 잊지도 모른다.

**3** I / remember / thinking to myself, "Well, I could
    V          O(동명사구)
do that."
나는 "음, 나는 그것을 할 수 있을 거야."라고 속으로 생각한 것을 기억한다.

**4** Jacob's partner / looked at / him / and gave / him /
           V₁      O₁(대명사)    V₂    IO(대명사)
the thumbs-down.
DO(명사구)
Jacob의 동료는 그를 바라보았고 그에게 안 된다는 신호를 주었다.

### 구문+서술형

**5** Lucas tried reasoning with her.

**6** I have enjoyed living here and hope to continue doing so.

**7** She decided to take advantage of an upcoming project for the class.

**8** Some of these problems have continued to challenge mathematicians until modern times.

### 구조+해석     NEW SENTENCES

**1** She / refused / to listen to her overworked
      V               O(to부정사구)
body.
그녀는 자신의 혹사당한 몸에 귀 기울이는 것을 거부했다.

**2** You / hope / to get lost in a story / or be transported
     V            O(to부정사구)
into someone else's life.
당신은 이야기에 몰입하거나 다른 사람의 삶 속으로 들어가 보기를 바란다.

**3** The natural world / had / thoughts, desires, and
                V        O(명사구)
emotions, / just like humans.
자연 세계는 인간들처럼 생각, 욕구 그리고 감정을 가지고 있었다.

**4** We / can make / an objective and informed
         V         O(명사구)
decision.
우리는 객관적이고 정보에 근거한 결정을 내릴 수 있다.

### 구문+서술형

**5** I remember preparing to run a marathon years ago.

**6** A designer must first document the existing conditions of a problem.

**7** On one occasion I was trying to explain the concept of buffers to my children.

**8** He kept following me through the dark, across the field.

**구조+해석**　　　　REVIEW

1 I / doubted [whether I could make it].
　　V　　　　O(명사절: whether+S+V ~)
나는 내가 그것을 잘 해낼 수 있을지를 의심했다.

2 I / wonder [if it is possible to film children in
　　V　　　　O(명사절: if+S+V ~)
classes for a day].
나는 하루 동안 교실에서 아이들을 촬영하는 것이 가능한지 궁금
하다.

3 Most people / will do [what the salesperson asks].
　　　　　V　　　O(명사절: what+S+V)
대부분의 사람들은 판매원이 요청하는 것을 할 것이다.

4 It / determines / the structure of conversations /
　　V　　　　O₁(명사구)
and [who has access to what information].
　　O₂(명사절: who+V ~)
그것은 대화의 구조와 누가 어떤 정보에 접근할 수 있는지를 결정
한다.

**구문+서술형**

5 Edison learned that marketing and invention must be integrated.

6 We cannot completely control what we communicate.

7 He asked why the beast didn't try to escape.

8 She reached out to friends and family and asked them if they could spare $100.

**구조+해석**　　　　NEW SENTENCES

1 We / are mostly doing [what we intend to do].
　　　V　　　　O(명사절: what+S+V ~)
우리는 대체로 우리가 하고자 의도하는 것을 하고 있다.

2 Some marketers / wondered [whether the cake
　　　　　V
mixes were artificial-tasting].
O(명사절: whether+S+V ~)
일부 마케팅 담당자들은 케이크 믹스가 인공적인 맛이었는지를
궁금해했다.

3 From this model / they / can tell / us [how old it
　　　　　　　　　V　　IO　DO₁(명사절: how+
is] and [where it came from].　　　형용사+S+V)
DO₂(명사절: where+S+V)
이 모형으로부터 그들은 우리에게 그것이 얼마나 오래되었고
어디에서 왔는지를 말해 줄 수 있다.

4 For many years / archaeologists / believed [that
　　　　　　　　　　　　　　　V
pottery was first invented in the Near East].
O(명사절: that+S+V ~)
수년 동안 고고학자들은 근동 지역에서 도자기가 처음 발명되
었다고 믿었다.

**구문+서술형**

5 The field of genetics is showing us what many scientists have suspected for years.

6 Mill realized that the goldsmiths' situation was not an isolated case.

7 I know how much they appreciate your company's contributions to the local charity.

8 We ask someone if[whether] he or she prefers having[to have] more alternatives.

**구조+해석**　　　　REVIEW

1 Doctors / will almost always find / it / advantageous /
　　　　　V　　　　O(가목적어)
to hire someone else.
O'(진목적어: to부정사구)
의사는 다른 누군가를 고용하는 것이 이득이라는 것을 거의 항상
알게 될 것이다.

2 I / found / it / remarkable [that he had apparently
　V　　O(가목적어)　　　O'(진목적어: that+S+V ~)
not considered the question].
나는 그가 그 질문을 명백히 고려하지 않았다는 것이 놀랍다고
생각했다.

**구조+해석**　　　　NEW SENTENCES

1 Their organizations / made / it / easier / for them /
　　　　　　　　　V　　O(가목적어)
to do the good deeds.
O'(진목적어: to부정사구)
그들의 조직들은 그들이 선행을 하기 더 쉽게 만들었다.

2 They / make / it / clear [that they value ⟨what
　　　V　　O(가목적어)　　O'(진목적어: that+S+V ~)
other people bring to the table⟩].
그들은 다른 사람들이 제시하는 것을 존중한다는 것을 분명히
한다.

**3** Masami / found / herself / in a bad situation.
  V    O(재귀목적어)

Masami는 자신이 불운한 상황에 놓여있는 것을 알게 되었다.

**4** Creative companies / are making / it / possible /
                          V         O(가목적어)

for their clients / to share ownership and access /
                    O'(진목적어: to부정사구)

to just about everything.

창의적인 회사들은 그들의 고객들이 거의 모든 것에 대한 소유권과 이용권을 공유하는 것을 가능하게 하고 있다.

구문+서술형

**5** I have always found it hard to be creative in a doorless office.

**6** I see myself most clearly in her eyes, the windows to her soul.

**7** People considered it a bad bet to assume that they would be producing more wealth ten years down the line.

**3** Presumably / chicks / find / it / easier / to avoid
                          V    O(가목적어)

distasteful prey.
O'(진목적어: to부정사구)

아마도 병아리들은 맛없는 먹이를 피하는 것이 더 쉽다는 것을 알고 있을 것이다.

**4** These furry pets / can adapt / themselves / to
                        V          O(재귀목적어)

the shape of the container.

이 털로 덮인 애완동물들은 용기의 모양에 맞게 스스로를 조절할 수 있다.

구문+서술형

**5** Adults don't hold themselves to those standards.

**6** Eliminating[To eliminate] competition makes it easier for everyone to build

**7** Many African language speakers would consider it absurd to use

---

**UNIT 6**    **4 전치사의 목적어**                                          pp. 60-61

구조+해석    REVIEW

**1** A $1 million prize / will be awarded / for solving each
                                            전치사  O(동명사구)

of these seven problems.
전치사+O(명사구)

이 7개 문제를 해결하는 것에 각각 100만 달러의 상금이 수여될 것이다.

**2** Unfortunately, / many people / tend / to focus /

on [what they don't have].
전치사    O(명사절: what+S+V)

안타깝게도, 많은 사람들이 그들이 가지고 있지 않은 것에 집중하는 경향이 있다.

**3** Maria / told / her coworkers / about her daughter's
                                    전치사   O(명사구)

latest project.

Maria는 그녀의 동료들에게 그녀의 딸의 최근 프로젝트에 관해 말했다.

**4** We / had / an instinctive awareness / of [what
                                            전치사

foods our body needed].
O(명사절: what+명사+S+V)

우리는 우리 몸이 어떤 음식을 필요로 하는지에 관한 본능적인 인식을 가지고 있었다.

구조+해석    NEW SENTENCES

**1** Time / was determined / by watching the length
                              전치사   O(동명사구)

of the weighted rope.
전치사+O(명사구)

시간은 무게를 단 줄의 길이를 관찰하는 것에 의해서 정해졌다.

**2** The nature of a solution / is related / to [how a
                                              전치사

problem is defined].
O(명사절: how+S+V)

해결책의 본질은 문제가 어떻게 정의되는가와 관련이 있다.

**3** Those / were / able to enjoy wages / far above
                                           전치사

[what might be expected].
O(명사절: what+V)

그들은 예상되는 것보다 훨씬 더 많은 임금을 누릴 수 있었다.

**4** Intellectually humble people / are / open / to
                                                  전치사

finding information from a variety of sources.
O(동명사구)           전치사+O(명사구)

지적으로 겸손한 사람들은 다양한 출처로부터 정보를 찾는 것에 개방적이다.

5 We do not have to worry about starving.

6 I was not fully convinced of how the outcome would be.

7 Parents must agree on where a limit will be set and how it will be enforced.

8 My buddy and his wife were in constant conflict over when the housework should get done.

5 Much of the interest will be coming from what you are generating.

6 By feeding the enemy wrong information, the English army gained a strong advantage.

7 Alice was very enthusiastic about helping with her mother's Christmas event.

8 Experts can disagree significantly about what is "best practice."

---

## UNIT 6　5 전치사구를 동반하는 동사구문 　pp. 62-63

### 구조+해석　REVIEW

1 People / commonly think of / persuasion / as
　　　　　　　V　　　　　　O
deep processing.
전치사+O(명사구)
사람들은 보통 설득을 깊은 사고 과정이라고 생각한다.

2 The milk and meat / provide / people / with
　　　　　　　　　　　V　　　　O
much fat and protein.
전치사+O(명사구)
우유와 고기는 사람들에게 많은 지방과 단백질을 제공한다.

3 The game / prevented / the initial traumatic
　　　　　　　V　　　　　　O
memories / from solidifying.
전치사+O(동명사)
그 게임이 초기의 트라우마를 일으키는 기억들이 굳어지는 것을 막았다.

### 구조+해석　NEW SENTENCES

1 Asians and many Native American cultures /
view / silence / as an important and appropriate
　V　　　O　　　전치사+O(명사구)
part of social interaction.

아시아인들과 많은 아메리카 원주민 문화가 침묵을 사회적 상호 작용의 중요하고 적절한 부분이라고 여긴다.

2 They / may be preventing / their children / from
　　　　　　V　　　　　　　　　O
acquiring self-confidence, mental strength, and
전치사+O(동명사구)
important interpersonal skills.

그들은 그들의 자녀가 자신감, 정신력, 그리고 중요한 대인 관계 기술을 습득하는 것을 막고 있을지도 모른다.

3 Most coaches / saw / strength training / as
　　　　　　　　V　　　　　O
something for bodybuilders.
전치사+O(명사구)
대부분의 코치들은 근력 운동을 보디빌더를 위한 것으로 여겼다.

### 구문+서술형

4 You have to see life as a series of adventures.

5 He had filled the stove with every piece of wood.

6 Focusing on numbers separates people from being in tune with their body.

### 구문+서술형

4 We don't think of him as a failure.

5 He presented them with a list of words.

6 Exercising gives you more energy and keeps you from feeling exhausted.

| 1 a | 2 b | 3 a | 4 a | 5 a | 6 b | 7 b | 8 a |
|-----|-----|-----|-----|-----|-----|-----|-----|

**1** stop의 목적어로 '~하는 것을 멈추다'라는 의미의 동명사가 알맞다.
승자는 결코 배우는 것을 멈추지 않는다.

**2** 전치사 of의 목적어로 동명사가 알맞다. to부정사는 전치사의 목적어로 쓸 수 없다.
음파는 많은 고체 물질을 통해 이동할 수 있다.

**3** 문맥상 asked의 직접목적어로 '~인지를'의 의미를 나타내는 접속사 if가 알맞다.
Yolanda는 할머니께 자신에게 어떤 조언을 해주실 수 있는지를 여쭈었다.

**4** believe의 목적어로 쓰인 명사절에 접속사 that이 생략된 문장이다. 명사절 내에 진주어 to부정사구가 있으므로 가주어 it이 필요하다.
선원들은 배의 이름을 바꾸면 불운이 온다고 믿는다.

**5** think의 목적어로 이어진 절이 완전한 구조를 이루므로 접속사 that이 알맞다.
그는 자신의 다리를 움직여 걸어갈 수 있을 거라는 생각이 들지 않았다.

**6** 'A에게 B에 대해 감사하다'의 의미를 나타내는 thank A for B가 알맞다.
우리와 함께 머물러 주셔서 당신에게 감사합니다.

**7** 동사 kept의 목적어로 동명사가 알맞다.
그는 머릿속에 계속해서 그 엄마의 얼굴이 떠올랐다.

**8** 주어 Mondrian과 목적어가 같은 대상이므로, 동사 limited의 목적어로 재귀대명사를 써야 한다.
Mondrian은 거의 3원색으로 스스로를 제한했다.

---

# UNIT 7  보어

| 1 TRUE | 2 FALSE | 3 TRUE | 4 FALSE | 5 FALSE | 6 FALSE | 7 TRUE | 8 FALSE |
|--------|---------|--------|---------|---------|---------|--------|---------|

---

## UNIT 7  1 주격보어: 형용사, 명사                              pp. 66-67

### 구조+해석                                    REVIEW

**1** We / become / boring, rigid, and hardened.
　　S　　　V　　　　C(형용사구)
우리는 지루하며, 완고하고, 경직되게 된다.

**2** Shah Rukh Khan / is / an Indian film actor and
　　　　S　　　　　　V　　　　　C(명사구)
producer.
Shah Rukh Khan은 인도의 영화배우이자 제작자이다.

**3** Carrying the same product / in a black shopping
　　　　　　　　　S
bag / feels / heavier.
　　　V　　C(형용사)
같은 상품을 검은색 쇼핑백에 담아 드는 것이 더 무겁게 느껴진다.

**4** His father / was / a music teacher / and his
　　S₁　　　V₁　　　C₁(명사구)　　　　S₂
mother / was / a singer and an amateur painter.
　　　　　V₂　　　　C₂(명사구)
그의 아버지는 음악 선생님이었고 그의 어머니는 가수이자 아마추어 화가였다.

### 구조+해석                                NEW SENTENCES

**1** The wood of teak / is / particularly attractive.
　　　S　　　　　V　　　C(형용사구)
티크의 목재는 특히 매력적이다.

**2** Its sale / is / proof of utility, / and utility / is /
　　S₁　　V₁　　C₁(명사구)　　　　S₂　　V₂
success.
C₂(명사)
그것의 판매량이 유용성의 증거이며, 유용성이 성공이다.

**3** The online world / is / an artificial universe.
　　　S　　　　　V　　　C(명사구)
온라인 세상은 인공의 세계이다.

**4** During her senior year in high school, / Kathy /
　　　　　　　　　　　　　　　　　　　　　　S
became / the Douglas County Rodeo Queen.
　V　　　　　C(명사구)
그녀가 고등학교 졸업반 때, Kathy는 Douglas County Rodeo Queen이 되었다.

구문+서술형

5 You can become your own cheerleader by talking to yourself positively.

6 The brain remains changeable throughout the life span.

7 With her mother's encouragement, she remained positive.

8 Our jobs become enriched by relying on robots.

구문+서술형

5 She grew comfortable in front of audiences.

6 The inquisitive mind is an essential ingredient for future success.

7 From an economic perspective, a short-lived event can become an innovative event.

8 The difference between selling and marketing is very simple.

---

UNIT 7　2 주격보어: to부정사, 동명사, 명사절　pp. 68-69

구조+해석　REVIEW

1 Their challenge / was / to reverse their roles.
　　S　　　V　　　C(to부정사구)
그들의 과제는 그들의 역할을 반대로 바꾸는 것이었다.

2 The problem / is [that the skills and the content
　　S　　　V　　　C(명사절: that+S+V)
are interconnected].
문제는 기술과 내용이 서로 연결되어 있다는 것이다.

3 [What I don't know] is [where I'm going].
　　　S　　　　V　　C(명사절: where+S+V)
내가 모르는 것은 내가 어디로 가고 있는가이다.

4 The tricky part / is / showing [how special you
　　S　　　V　　　C(동명사구)
are / without talking about yourself].
까다로운 부분은 당신 자신에 대한 이야기를 하지 않고 당신이 얼마나 특별한지를 보여 주는 것이다.

구조+해석　NEW SENTENCES

1 The original idea of a patent / was not / to
　　S　　　　　　　　　V
reward inventors with monopoly profits.
　　　　　C(to부정사구)
특허권의 원래 목적은 발명가에게 독점 이익을 보상하는 것이 아니었다.

2 The aim of demarketing / is not / to completely
　　S　　　　　　　V　　　C(to부정사구)
destroy demand.
반 마케팅의 목적은 수요를 완전히 없애는 것이 아니다.

3 That's [what the feedback from your body / is
　S+V　　　C(명사절: what+S+V ~)
able to give / you].
그것은 당신의 신체로부터 나오는 피드백이 당신에게 제공할 수 있는 것이다.

4 The problem / is [that the seesaw can also tip
　　S　　　V　　　C(명사절: that+S+V ~)
the other way].
문제는 시소가 다른 방향으로도 기울어질 수 있다는 것이다.

구문+서술형

5 The needed marketing task is to reduce demand temporarily or permanently.

6 The primary advantage is that they can adapt to nearly all earthly environments.

7 One widely held view is that self-interest underlies all human interactions.

8 Intellectual humility is admitting you are human and there are limits to the knowledge.

구문+서술형

5 was that Conner had a relative lack of flexibility

6 seems to imply an unprecedented revelation

7 is that neurons die and are not replaced

8 is to repeat it in conversation

**구조+해석**      REVIEW

1 Social psychologists / call / it / social exchange
                    V    O        C(명사구)
theory.

사회 심리학자들은 그것을 사회적 교환 이론이라고 부른다.

2 It / would make / the festival / more colorful and
         V         O        C(형용사구)
splendid.

그것은 축제를 더 다채롭고 훌륭하게 만들어 줄 것이다.

3 That softness / made / jeans / the trousers ⟨of
           V    O      C(명사구)
choice for laborers⟩.

그 부드러움은 청바지를 노동자들이 가장 많이 선택하는 바지로
만들었다.

4 Repetition / makes / us / more confident / in our
          V    O      C₁(형용사구)
forecasts / and more efficient / in our actions.
                      C₂(형용사구)
반복은 우리의 예측에 있어서 우리를 더 자신 있게 그리고 우리의
행동에 있어서 더 효율적으로 만든다.

**구문+서술형**

5 Arbore found this exchange profound.

6 Today experts have made strength training part
of the game.

7 We find special effects especially interesting.

**구조+해석**      NEW SENTENCES

1 She / finds / parenting / a hard task.
      V      O      C(명사구)
그녀는 육아가 어려운 일이라는 것을 안다.

2 We / will leave / the cups / untouched.
       V        O      C(형용사)
우리는 컵을 그대로 둘 것이다.

3 Being rejected for jobs / does not make / a job
                       V       O
offer / more likely.
      C(형용사구)
일자리에서 퇴짜를 맞은 것이 일자리 제안을 더욱 가능성 있는
것으로 만들지는 않는다.

4 They / make / milky tea / the most precious
      V     O      C(명사구)
thing / for the people / in the northwest part of
China.

그들은 밀크티를 중국 북서 지역의 사람들에게 가장 소중한 것이
되게 만든다.

**구문+서술형**

5 We readily call machines intelligent now.

6 More and more people find it a fulfilling task.

7 In some towns, zoning codes may make artificial
authenticity compulsory.

**구조+해석**      REVIEW

1 Suddenly, / I / noticed / a man with long hair /
               V          O
secretly riding behind me.
     C(현재분사구)
갑자기, 나는 머리가 긴 남자가 몰래 내 뒤에서 자전거를 타고 오는
것을 알아차렸다.

2 Maria / saw / the cheer / disappear from Alice's
       V    O      C(원형부정사구)
face / at the news.

Maria는 그 소식에 Alice의 얼굴에서 생기가 사라지는 것을 보았다.

**구조+해석**      NEW SENTENCES

1 He / got / the ring / appraised for $4,000.
    V    O      C(과거분사구)
그는 그 반지를 4,000달러로 평가받았다.

2 Would you / expect / the physical expression of
              V             O
pride / to be biologically based?
       C(to부정사구)
당신은 자부심을 드러내는 신체적 표현이 생물학적 기반을 두고
있을 것으로 기대하는가?

**3** Participation / <u>allows</u> / <u>individuals</u> / <u>to demonstrate</u>
            V        O         C(to부정사구)
a belonging.

참여는 개인들이 소속감을 보여 주도록 해 준다.

**4** Mammals and birds / <u>commonly make</u> / <u>their</u>
                  V          O
<u>presence</u> / felt by sound.
        C(과거분사구)
포유류와 조류는 주로 자신들의 존재가 소리로 느껴지도록 만든다.

**3** They / <u>have helped</u> / <u>us</u> / <u>see things</u> / in our right
         V       O    C(원형부정사구)
perspectives.

그것들은 우리가 올바른 관점에서 상황을 보도록 도와주었다.

**4** The people in the elevator / <u>have to notice</u> / <u>the</u>
                              V       O
<u>actor</u> / picking up the coins and pencils / on the
                       C(현재분사구)
floor.

엘리베이터 안에 있는 사람들은 그 연기자가 바닥에서 동전과
연필을 줍고 있는 것을 알아차려야 한다.

**구문+서술형**

**5** Your imagination will keep you focused on completing the tasks at hand.

**6** Mary wanted the interior of the house to look attractive.

**7** Antibiotics and vaccinations keep us living longer.

**8** Her desperate and urgent voice made Jacob decide to enter the building instantly.

**구문+서술형**

**5** The boy saw the trainer passing by.

**6** You can have your computer read your essay to you.

**7** A physical problem may be causing the player to do poorly.

**8** Jacob could feel the boy's heart pounding.

---

## UNIT 7 REVIEW QUIZ
p. 74

| **1** a | **2** b | **3** a | **4** a | **5** b | **6** b | **7** b | **8** a |
|---|---|---|---|---|---|---|---|

**1** 지각동사 hear는 목적격보어로 원형부정사 또는 현재분사를 쓴다.
가끔 당신은 사람들이 '진화론은 이론일 뿐이다.'와 같은 말을 하는 것을 듣는다.

**2** 목적어 them을 보충 설명하는 목적격보어 자리이므로 형용사가 알맞다.
나는 그것들을 정확하게 기억할 수 없었다.

**3** 주격보어 자리이므로 to부정사가 와야 한다.
그 핵심은 사람들이 끊임없는 긴장감을 놓을 수 있도록 도와주는 것이다.

**4** 목적어 the field와 목적격보어가 수동 관계이므로 과거분사가 알맞다.
어려운 부분은 밭이 준비되도록 하는 것이다.

**5** 준사역동사 help는 목적격보어로 원형부정사 또는 to부정사를 쓴다.
우리는 신체가 치유되고 훨씬 더 빠르게 성장하도록 도울 수 있다.

**6** 동사 cause는 목적격보어로 to부정사를 쓴다.
열량 제한은 당신의 신진대사가 느려지게 할 수 있다.

**7** 주어 Our work의 상태를 보충 설명하는 주격보어 자리이므로 형용사가 알맞다.
우리의 일은 정말로 꽤 단순하다.

**8** 동사 enable은 목적격보어로 to부정사를 쓴다.
그것들은 사람들이 데이터를 저장하는 것을 가능케 한다.

# UNIT 8 수식어-형용사

핵심 개념 확인     p. 75

| 1 FALSE | 2 TRUE | 3 FALSE | 4 TRUE | 5 FALSE | 6 TRUE | 7 FALSE | 8 FALSE |
|---------|--------|---------|--------|---------|--------|---------|---------|

## UNIT 8 — 1 형용사(구): 어순    pp. 76-77

### 구조+해석    REVIEW

1 Something large / could have come / so close to
    대명사    형용사
him / without his knowing.

커다란 무엇인가가 그도 모르는 새 그에게 그토록 가까이 다가올 수도 있었다.

2 We / look forward to / receiving a positive reply.
                      형용사   명사

우리는 긍정적인 답변을 받을 수 있기를 기대하고 있다.

3 The desire 〈for fame〉 has / its roots / in the
   명사    전치사구
experience 〈of neglect〉.
    명사    전치사구

명성에 대한 욕망은 무시당한 경험에 그것의 뿌리를 두고 있다.

4 It / is / a personal decision 〈to stay in control and
          명사구    to부정사구
not to lose your temper〉.

그것은 평정심을 유지하고 화내지 않겠다는 개인의 결심이다.

### 구문+서술형

5 He asked them to do something radical.

6 Commercial airplanes generally travel airways similar to roads.

7 The compounds in eucalyptus leaves kept koalas in a drugged-out state.

8 Turner was the first person to discover that insects are capable of learning.

### 구조+해석    NEW SENTENCES

1 "Survivorship bias" / is / a common logical fallacy.
                       형용사구   명사

'생존 편향'은 흔한 논리적 오류이다.

2 The breeding season / occurs / at the end 〈of
                      명사
the wet season〉 around May.
  전치사구

번식기는 5월 무렵 우기의 끝에 일어난다.

3 The availability 〈of different types of food〉 is /
      명사         전치사구
one factor / in gaining weight.
형용사   명사

다양한 종류의 음식을 맛볼 수 있다는 것은 체중이 느는 한 가지 요인이다.

4 Actually, / he / was doing / the work, / but there
wasn't / enough heat 〈to start a fire〉.
      형용사   명사   to부정사구

사실 그는 작업을 하고 있었지만, 불을 피울 수 있을 만큼의 충분한 열이 없었다.

### 구문+서술형

5 Scents have the power to stimulate states of well-being.

6 People with excellent acting skills can better navigate our complex social environments.

7 Your listener unconsciously trusts you to say something worthwhile.

8 Most of the members of the human race have lost the capacity to be painters.

## UNIT 8 — 2 형용사(구): 현재분사, 과거분사    pp. 78-79

### 구조+해석    REVIEW

1 Collisions between aircraft / usually occur / in
the surrounding area / of airports.
    현재분사   명사

항공기 간의 충돌은 대개 공항의 주위를 둘러싸고 있는 지역에서 발생한다.

### 구조+해석    NEW SENTENCES

1 I / found / a deserted cottage / and walked /
           과거분사   명사
into it.

나는 버려진 오두막을 발견했고 그 안으로 걸어 들어갔다.

**2** Hearing / is basically / a specialized form / of
<br>과거분사구 → 명사

touch.

청각은 기본적으로 촉각의 분화된 한 형태이다.

**3** The contemporary Buddhist teacher Dainin

Katagiri / wrote / a remarkable book 〈called
<br>명사구 ↰ 과거분사구

*Returning to Silence*〉.

현대의 불교 스승인 Dainin Katagiri는 '침묵으로의 회귀'라는
주목할 만한 책을 집필했다.

**4** Psychologist John Bargh / did / an experiment
<br>명사 ↰

〈showing human perception can be influenced
<br>현재분사구

by external factors〉.

심리학자 John Bargh는 인간의 인식이 외부 요인에 의해 영향을
받을 수 있다는 것을 보여 주는 실험을 했다.

**구문+서술형**

**5** She had an only son living far away and missed
him a lot.

**6** Such knowledge may improve existing climate
models.

**7** He was a violinist and composer known for his
unique performance method.

**8** There are many superstitions surrounding the
world of the theater.

**2** Your body / will connect / these relaxed feelings /
<br>과거분사 → 명사

with the usage of that specific scent.

당신의 몸은 이러한 편안해진 감정들을 그 특정한 향기의 사용과
연결 짓게 될 것이다.

**3** The games / will be attended / by many college
<br>명사구

coaches 〈scouting prospective student athletes〉.
<br>↰ 현재분사구

이 경기들에 유망한 학생 선수들을 스카우트하는 많은 대학 코치들
이 참석할 것이다.

**4** Actions / are restricted / by the role responsibilities
<br>명사구

and obligations 〈associated with individuals'
<br>↰ 과거분사구

positions within society〉.

행동들은 사회 내의 개인들의 지위와 관련된 역할 책임과 의무에
의해 제한된다.

**구문+서술형**

**5** multiple centers in Asia like Bollywood movies
made in India

**6** Isolated populations with minimal Western contact

**7** Rivera grabbed the burning cylinder

**8** The dog's presence was a calming influence

---

| UNIT **8** | **3** 형용사절: 관계대명사절 | pp. 80~81 |

**구조+해석**      REVIEW

**1** Any manuscript [that contains errors] stands
<br>선행사 ↰ 관계대명사절(that+V ~)

little chance / at being accepted / for publication.

오류를 포함하는 어떤 원고도 출판을 위해 받아들여질 가능성이
거의 없다.

**2** Most publishers / will not want / to waste time /

with writers [whose material contains too many
<br>선행사 ↰ 관계대명사절(whose+명사+V ~)

mistakes].

대부분의 출판사는 그의 자료에 너무 많은 오류를 포함하고 있는
집필자에게 시간 낭비하는 것을 원하지 않을 것이다.

**구조+해석**      NEW SENTENCES

**1** The students / consider / you / the musician [who
<br>선행사 ↰

has influenced them the most].
<br>관계대명사절(who+V ~)

그 학생들은 당신을 그들에게 가장 큰 영향을 준 음악가로 생각
한다.

**2** The distance [at which this happens] is / consistent, /
<br>선행사₁ ↰ 전치사+관계대명사절₁

and Hediger / claimed / to have measured / it /

precisely / for some of the species [that he studied].
<br>선행사₂ ↰ 관계대명사절₂(that+S+V)

이것이 일어나는 거리는 일관되고, Hediger는 자신이 연구하는
일부 종에 대해 그것을 정확하게 측정했다고 주장했다.

**3** Only children [who choose and evaluate for
선행사 　관계대명사절(who+V ~)
themselves] can truly develop / their own aesthetic

taste.

스스로 선택하고 평가하는 아이들만이 진정으로 자기 자신만의
미적 취향을 발전시킬 수 있다.

**4** In all these situations, / we / are basically flooded /

with options [from which we can choose].
선행사 　전치사+관계대명사절
이러한 모든 상황 속에서, 우리는 기본적으로 우리가 고를 수 있는
선택 사항들로 넘쳐나게 된다.

### 구문+서술형

**5** View our list of cleanup locations and choose the
location you want.

**6** Events depend on an existing context which has
been for a long time.

**7** There are many ways and spatial scales at which
tourism contributes to climate change.

**8** The koala is the only known animal whose brain
only fills half of its skull.

---

**3** The behavioral intention [that could result from
선행사 　관계대명사절(that+V ~)
this] is / to support a program.

이것으로부터 생길 수 있는 행동적 의도는 프로그램을 지지하는
것이다.

**4** Environmental factors / narrow / the range of
선행사
things [we can do with our lives].
　관계대명사절(which[that] 생략)
환경적인 요인들은 우리가 살아가면서 할 수 있는 것들의 범위를
좁힌다.

### 구문+서술형

**5** These houses may look like the sea captains'
mansions they imitate.

**6** There is a finite range of jobs we can perform
effectively.

**7** Our Stone Age brain sees a mortal danger
that[which] is not there.

**8** She is investigating the extent to which cheating
by college students occurs on exams.

---

### 구조+해석　REVIEW

**1** The way [we communicate] influences / our
선행사　관계부사절((how+)S+V)
ability ⟨to build strong and healthy communities⟩.

우리가 의사소통하는 방식은 강하고 건강한 공동체를 만드는
우리의 능력에 영향을 미친다.

**2** The bath / is / a time [when the child is comfortable
선행사　관계부사절(when+S+V ~)
with her imagination].

목욕은 그 아이가 상상을 하며 편안해하는 시간이다.

**3** The reason [these things don't happen] is [that
선행사　관계부사절((why+)S+V)
the strength of gravity's pull depends on two

things].

이런 일들이 일어나지 않는 이유는 중력의 당기는 힘의 강도가 두
가지에 따라 달라지기 때문이다.

---

### 구조+해석　NEW SENTENCES

**1** He / had only become / a dog-lover / in later
선행사
life [when Jofi was given to him by his daughter
　관계부사절(when+S+V ~)
Anna].

그는 그의 딸 Anna가 그에게 Jofi를 주었던 말년이 되어서야
개를 사랑하는 사람이 되었다.

**2** The way [we present ourselves] can speak /
선행사　관계부사절((how+)S+V)
more eloquently / of the skills [we bring to the

table].

우리가 우리 스스로를 보여 주는 방식은 우리가 기여할 기술들에
대해 더 설득력 있게 말해줄 수 있다.

**3** One of the reasons [world-class golfers are head
선행사　관계부사절((why+)S+V)
and shoulders above the other golfers of their

era] is [that they are in so much better shape].

세계 수준의 골프 선수들이 자기 시대의 다른 골프 선수들보다
한 수 위에 있는 이유들 중 하나는 그들이 몸 상태가 훨씬 더 좋다는
것이다.

4 It brings qualitative changes in the way people live.

5 Consider a situation where an investigator is studying deviant behavior.

6 This cycle is the fundamental reason why life has thrived on our planet for millions of years.

4 an assisted-living facility where she can receive the help

5 when you were a guest at our restaurant

6 how we see the world depends on

---

## UNIT 8   5 콤마+관계사절     pp. 84-85

### 구조+해석     REVIEW

1 A building / had occupied / this same spot /

some two-and-a-half thousand years earlier,
<sub>선행사</sub>

[when it was part of a wooded sanctuary].
<sub>관계부사절(when+S+V ~)</sub>

약 2,500년 전에 한 건물이 이와 같은 장소를 차지했었고, 그때 그것은 숲이 우거진 신전의 일부였다.

2 Harris / talked / to a lawyer, [who helped him
<sub>선행사</sub>    <sub>관계대명사절(who+V ~)</sub>

put the money in a trust].

Harris는 변호사와 이야기했고, 그 변호사는 그가 그 돈을 신탁에 넣도록 도와주었다.

3 Khan / spent / much of his time / at Delhi's

Theatre Action Group, [where he studied acting].
<sub>선행사</sub>    <sub>관계부사절(where+S+V ~)</sub>

Khan은 Delhi의 Theatre Action Group에서 많은 시간을 보냈고, 그곳에서 그는 연기를 공부했다.

### 구조+해석     NEW SENTENCES

1 Knowledge / relies on / judgements, [which you
<sub>선행사</sub>    <sub>관계대명사절</sub>

discover in conversation with other people].
<sub>(which+S+V ~)</sub>

지식은 판단에 의존하는데, 당신은 다른 사람들과의 대화 속에서 그 판단을 발견한다.

2 Bahati / lived / in a small village, [where baking
<sub>선행사</sub>    <sub>관계부사절</sub>

bread for a hungry passerby is a custom].
<sub>(where+S+V ~)</sub>

Bahati는 작은 마을에 살았는데, 그곳에서는 배고픈 행인을 위해 빵을 굽는 것이 관습이다.

3 Nearby, / a woman / was wailing / and clutching /

a little girl, [who in turn hung on to her cat].
<sub>선행사</sub>    <sub>관계대명사절(who+V ~)</sub>

가까운 곳에서, 한 여성은 울부짖으며 어린 소녀를 꽉 잡고 있었고, 그 소녀 또한 자신의 고양이를 움켜잡았다.

---

### 구문+서술형

4 We create *artifacts*, which form an important aspect of technologies.

5 A priest was sharing a story about newborn twins, one of whom was ill.

6 One of her relatives ran a private painting school, which allowed Lotte to learn drawing.

7 In 1862 he joined the staff of *Harper's Weekly*, where he focused his efforts on political cartoons.

### 구문+서술형

4 He attended University College London, where he studied physics.

5 We cannot predict the outcomes of sporting contests, which vary from week to week.

6 Client satisfaction depends on the attitudes of employees, who are the company's face for customers.

7 The mold was from the *penicillium notatum* species, which had killed the bacteria.

## 구조+해석　REVIEW

**1** Something / happened / early in the semester
　선행사
[that is still in her memory].
관계대명사절,(that+V ~): Something 수식
그녀의 기억 속에 아직도 남아 있는 어떤 일이 학기 초에 있었다.

**2** Kluckhohn / tells / of a woman [he knew in
　　　　　　　　　　　선행사　　　관계대명사절,(who(m)
Arizona] [who took a perverse pleasure in
[that] 생략)　　관계대명사절₂(who+V ~): a woman 수식
causing a cultural response to food].

Kluckhohn는 Arizona에서 자신이 알았던, 음식에 대한 문화적 반응을 이끌어 내는 것에서 심술궂은 기쁨을 얻었던, 한 여인에 대해 말한다.

**3** People [who are frank and open] and [who share
　선행사　관계대명사절,(who+V ~)　　　　　관계대명사절₂
their knowledge with others] can be considered /
(who+V ~): People 수식
as the self-disclosing type.

솔직하고 개방적이며 자신의 지식을 다른 사람들과 공유하는 사람들은 자기 노출 유형으로 여겨질 수 있다.

## 구문+서술형

**4** You will resent the person who you feel you cannot say no to.

## 구조+해석　NEW SENTENCES

**1** Cute aggression / may serve / as a tempering
　　　　　　　　　　　　　　　　　선행사,
mechanism [that allows us to take care of
　　　　　　관계대명사절,(that+V ~)
something ⟨we might first perceive as cute⟩].
선행사₂　　관계대명사절₂(that[which] 생략)
귀여운 공격성은 우리가 처음에 귀엽다고 인지하는 것을 돌볼 수 있도록 해 주는 조절 기제로 기능할지도 모른다.

**2** Musicians / have learned / to create special
　　　　　　　　　　　　　　　　　선행사,
effects [that tickle our brains by exploiting
　　관계대명사절,(that+V ~)
neural circuits ⟨that evolved⟩].
선행사₂　관계대명사절₂(that+V)
음악가는 진화한 신경회로를 이용함으로써 우리의 뇌를 자극하는 특수효과를 만들어 내는 것을 배웠다.

**3** Was there / something [he could smell or sense
　　　　　　　선행사　관계대명사절,(that[which] 생략)
⟨when he was in an organization⟩] [that suggested
　　　　　　　　　　　　　　　　관계대명사절₂(that+V ~):
this company was going to be a winner]?
something 수식
그가 어떤 조직에 있었을 때 이 회사가 승리자가 될 것이라고 암시하는 그가 눈치채고 알아차릴 수 있는 어떤 것이 있었을까?

## 구문+서술형

**4** One night, my family was having a party with a couple from another city who[that] had two daughters.

---

| 1 b | 2 a | 3 a | 4 b | 5 a | 6 a | 7 b | 8 a |
|-----|-----|-----|-----|-----|-----|-----|-----|

**1** 형용사는 -thing으로 끝나는 대명사를 뒤에서 수식한다.
지금쯤 누군가가 나의 탈출을 발견했을 거라는 생각이 내 마음속에 떠올랐다.

**2** 분사구가 수식하는 명사 the behaviors와 수동 관계이므로 과거분사가 알맞다.
승리 후에, 볼 수 있는 선수들과 시각 장애가 있는 선수들이 보여 준 행동은 매우 비슷했다.

**3** '심장 이식을 할 수 있는'의 의미로 명사 The ability를 뒤에서 수식하는 to부정사구가 알맞다.
심장 이식을 할 수 있는 능력은 인공호흡기의 개발과 관련이 있었다.

**4** 선행사 situation이 상황을 나타내므로, 관계부사 where가 알맞다.
비언어적 의사소통은 말하기가 부적절한 상황에서 유용할 수 있다.

**5** 관계부사 how와 the way는 함께 쓸 수 없고, 둘 중 하나를 반드시 생략해야 한다.
청소년들은 의사를 결정하는 방식에서 어른과 다르다.

**6** 선행사(절)를 보충 설명하는 「콤마+관계대명사절」이므로, which가 알맞다. that은 보충 설명하는 절을 이끌 수 없다.
식물들은 움직일 수 없고, 이것은 그것들이 그것들을 먹이로 하는 생물체로부터 도망갈 수 없다는 것을 의미한다.

**7** 선행사 American people을 수식하는 관계대명사 who가 알맞다. by age group은 수식어 역할을 하는 전치사구이다.
위의 그래프는 2012년과 2013년에 적어도 한 권의 전자책을 읽었던 미국 사람들의 비율을 연령대별로 나타낸 것이다.

**8** 선행사가 a child이고 관계사절 내에서 주어 역할을 하므로 주격 관계대명사 who가 알맞다.
완전한 도구를 기다리지 않는 어린아이처럼, 예술가는 예술을 만들어 낸다.

# UNIT 9 수식어-부사

## UNIT 9    1 부사(구): 다양한 수식     pp. 90~91

### 구조+해석    REVIEW

1 Generally, [people / tend / to seek consistency].
    부사    문장 전체
일반적으로, 사람들은 일관성을 추구하는 경향이 있다.

2 Beebe / gradually developed / an interest in
      부사   V
marine biology.
Beebe는 해양 생물학에 대한 흥미를 점차 키웠다.

3 My heart / started / pounding / really hard and
                부사   부사구
fast.
나의 심장은 정말 격렬하고 빠르게 뛰기 시작했다.

4 We / are / quite proud / of our opinions and beliefs.
        부사   형용사
우리는 우리의 의견이나 믿음에 대해 꽤 자랑스러워한다.

### 구문+서술형

5 She proudly shows you a big red A at the bottom of her test paper.

6 Unfortunately, the results were even worse.

7 The material must be very competently written.

8 Sarah passed Harris at his usual spot and dropped some change into his cup.

### 구조+해석    NEW SENTENCES

1 Charisma / is / eminently learnable and
           부사    형용사구
teachable.
카리스마는 분명하게 배울 수 있고 가르칠 수 있다.

2 Unfortunately, [this product / has not worked /
   부사    문장 전체     V
well].
  부사
불행히도, 이 제품은 잘 작동하지 않았다.

3 This quest / accidentally began / in November,
         부사   V    전치사구(시간: V 수식)
2016 / in a grocery store.
      전치사구(장소: V 수식)
이 탐색은 2016년 11월, 한 식료품 가게에서 우연히 시작되었다.

4 Application of Buddhist-style mindfulness to
Western psychology / came primarily / from the
          V    부사
research of Jon Kabat-Zinn.
불교 방식의 마음 챙김을 서양 심리학에 적용하는 것은 원래 Jon Kabat-Zinn의 연구에서 비롯되었다.

### 구문+서술형

5 Remarkably, the powerful unfavorable attitudes didn't predict actual behavior.

6 He attended Columbia University, but he never officially graduated.

7 To their surprise, guests responded most positively to the third sign.

8 A manager was responsible for large quantities in a relatively short span of time.

REVIEW

**1** She / was surprised / <u>to find her son</u> ⟨standing in the doorway⟩.
to부정사구(감정의 원인)

그녀는 문간에 서 있는 그녀의 아들을 발견해서 놀랐다.

**2** 68% of respondents / decided / to make their way / to the store / <u>in order to save $5.</u>
to부정사구(목적)

응답자의 68%가 5달러를 절약하기 위해 그 가게까지 가기로 결심했다.

**3** You / rush out / of your house / <u>only to realize</u>
to부정사구(결과)
[you forgot your phone on the kitchen table].

당신은 당신의 집에서 급하게 나왔지만 결국 당신이 전화기를 부엌 식탁 위에 잊고 온 것을 깨달았다.

**4** For your children / <u>to succeed and be happy,</u> /
to부정사구(목적)
you / need ⟨to convince / them / that success comes from effort⟩.

당신의 자녀들이 성공하고 행복해지려면, 당신은 그들에게 성공은 노력에서 오는 것임을 확신시킬 필요가 있다.

구문+서술형

**5** To be clear, we have a Stone Age brain that lives in a modern world.

**6** The dog might be too big to keep around a small child.

**7** Four-leaf clovers are rare and hard to find.

**8** Humans must be flexible enough to eat a variety of items sufficient for physical growth.

구조+해석 NEW SENTENCES

**1** The Riverside Art Center / is / proud / <u>to announce</u>
to부정사구(감정의 원인)
the Upcycling Festival.

Riverside 아트 센터는 업사이클링 축제를 알리게 되어 자랑스럽습니다.

**2** In parallel bars event / he / scored / a 'perfect ten' / <u>to win an individual gold medal.</u>
to부정사구(결과)

평행봉 종목에서 그는 10점 만점을 기록하며 개인전 금메달을 획득하였다.

**3** She / was / thrilled / <u>to be able to choose</u>
to부정사구(감정의 원인)
someone ⟨to work with⟩.

그녀는 함께 일할 누군가를 고를 수 있어서 기뻤다.

**4** The brain / has / the capacity to change / in response to injury / <u>in order to at least partly compensate for the damage.</u>
to부정사구(목적)

뇌는 그 손상을 적어도 부분적으로 보충하기 위해 부상에 대응하여 변화할 수 있는 능력을 가지고 있다.

구문+서술형

**5** I'm too scared to do this.

**6** Too many limits are difficult to learn and may spoil the normal development of autonomy.

**7** After three days, the king was well enough to appear again before his army.

**8** Breaks are necessary to revive your energy levels and recharge your mental stamina.

UNIT 9　3 부사구: 분사구문의 다양한 의미　pp. 94-95

구조+해석 REVIEW

**1** ⟨Shivering with fear⟩, I / murmured / a prayer.
분사구문(동시동작)
두려움에 떨며, 나는 기도를 중얼거렸다.

구조+해석 NEW SENTENCES

**1** She / began / to act out, ⟨hanging out with the wrong crowd at school⟩.
분사구문(동시동작)

그녀는 학교에서 나쁜 무리와 어울리면서 말썽을 피우기 시작했다.

**2** Yolanda / nodded / her head, 〈realizing / that her
<sub>분사구문(시간)</sub>
wise grandmother was right〉.

Yolanda는 자신의 지혜로운 할머니가 옳다는 것을 깨닫고 나서
자신의 머리를 끄덕였다.

**3** 〈Feeling sympathy for him〉, Rangan / fixed / the
<sub>분사구문(이유)</sub>
bicycle.

그에게 동정심을 느껴서, Rangan은 그 자전거를 고쳤다.

**4** 〈Crying and hugging her son〉, she / gave / him /
<sub>분사구문(시간)</sub>
clothes to change into and some food.

울며 자신의 아들을 껴안은 후에, 그녀는 그에게 갈아입을 옷과
약간의 음식을 가져다주었다.

---

**2** 〈Washing his greasy hands〉, he / heard / a
<sub>분사구문(시간)</sub>
knock / at his door.

자신의 기름 묻은 손을 씻을 때, 그는 그의 문을 두드리는 소리를
들었다.

**3** Most dyes / will permeate / fabric / in hot

temperatures, 〈making the color stick〉.
<sub>분사구문(동시동작)</sub>
대부분의 염료는 천에 색이 들러붙게 하면서 높은 온도에서 스며
든다.

**4** Non-verbal communication / should function /

as a supplement, 〈serving to enhance the
<sub>분사구문(동시동작)</sub>
richness of the content of the message〉.

비언어적 의사소통은 메시지 내용의 풍부함을 강화시키도록 도와
주면서, 보충으로서 기능해야 한다.

---

구문+서술형

**5** A cat in a small box will behave like a fluid, filling
up all the space.

**6** The dog leapt into the room, proudly wagging his
tail.

**7** Impulsively, Jacob ran down the hall without his
partner, disappearing into the flames.

---

구문+서술형

**5** He lived on a street corner, asking passersby for
spare change.

**6** Suddenly, a woman came to him yelling at the top
of her lungs.

**7** The executives worked in groups, pretending to
be one of Merck's top competitors.

---

UNIT 9    4, 5 부사구: 분사구문의 다양한 형태, 관용적 표현                    pp. 96~97

---

구조+해석                                    REVIEW

**1** "Do you know [which way we came]?" / Lauren /

asked, 〈her eyes darting around〉.
<sub>의미상 주어+분사구문</sub>
"우리가 어떤 길로 왔는지 알고 있니?" Lauren은 그녀의 시선을
여기저기 던지며 물었다.

**2** 〈Generally speaking〉, the people / do not have /
<sub>분사구문(관용 표현)</sub>
a tradition of raising these crops.

일반적으로 말해서, 사람들은 이 곡물들을 재배하는 전통을 가지고
있지 않다.

---

구조+해석                                NEW SENTENCES

**1** 〈With her mother sitting proudly in the
<sub>with+O+v-ing</sub>
audience〉, Victoria / felt / proud of herself.

그녀의 엄마가 자랑스러워하며 관객 속에 앉아 있었고, Victoria는
자기 자신을 자랑스럽게 느꼈다.

**2** The number / grew / to hundreds of people,

〈each delivering a $100 bill〉.
<sub>의미상 주어+분사구문</sub>
사람들 숫자가 수백 명으로 늘어났고, 각자 100달러 지폐를 전달
했다.

**3** 〈Having never done anything like this before〉,
완료 분사구문
Cheryl / hadn't anticipated / the reaction.

이러한 일을 이전에는 해 본 적이 없었기 때문에, Cheryl은 그 반응을 예측하지 못했었다.

**4** 〈With these counterforces battling inside us〉, we /
with+O+v-ing
cannot completely control [what we communicate].

이 상충하는 힘들이 우리 내면에서 다투면서, 우리는 우리가 전달하는 것을 완전히 통제할 수 없다.

**3** 〈After retelling the story several times〉, Bella's
접속사+분사구문
fears / lessened / and eventually went away.

그 이야기를 여러 차례 되풀이하고 난 후, Bella의 두려움은 줄어들었고 결국 사라졌다.

**4** 〈Referred to in the media as the "King of
수동 분사구문
Bollywood〉," he / has appeared / in more than

80 Bollywood films.

매체에서 'King of Bollywood'로 불리며, 그는 80편이 넘는 Bollywood 영화에 출연했다.

**구문+서술형**

**5** With my suitcase packed, I started for the front door of our bungalow.

**6** Tired, I lay down on the floor and fell asleep.

**7** One of his first inventions was, although much needed, a failure.

**구문+서술형**

**5** Imagine (that) you are in an uncomfortable position while talking to an individual.

**6** (Being) Horrified, Philip threw himself down at the king's bedside.

**7** Scientists often choose to study humble subjects when trying to understand the essence of a problem.

---

**구조+해석**                                              REVIEW

**1** [Every time he got close enough to help], she /
부사절(시간)
pulled / him / under.

그가 도울 수 있을 정도로 충분히 가까이 갈 때마다, 그녀는 그를 아래로 잡아당겼다.

**2** Paul / was still furiously snoring [as John got up /
부사절(시간)
to find his water bottle in the dark].

John이 어둠 속에서 그의 물병을 찾으러 일어났을 때 Paul은 여전히 심하게 코를 골고 있었다.

**3** [As soon as the farmer said, / "Pull Warrick!"] the
부사절(시간)
donkey / heaved / the car / out of the ditch.

농부가 "당겨 Warrick!"이라고 말하자마자, 그 당나귀는 그 차를 도랑 밖으로 끌어당겼다.

**구조+해석**                                         NEW  SENTENCES

**1** Boole / was forced / to leave school / at the age

of sixteen [after his father's business collapsed].
부사절(시간)
Boole은 아버지의 사업이 실패한 후 16세의 나이에 학교를 그만두게 되었다.

**2** [When the immune system senses a dangerous
부사절(시간)
parasite], the body / is mobilized / to produce

special cells.

면역 체계가 위험한 균을 감지할 때, 신체는 특별한 세포를 만들어내기 위해 가동된다.

**3** [Since our hotel was opened in 1976], we / have
부사절(시간)
been committed / to protecting our planet / by

reducing our energy consumption and waste.

1976년에 호텔을 개업한 이래로, 우리는 에너지 소비와 낭비를 줄임으로써 우리 지구를 보호하는 것에 헌신해 왔다.

구문+서술형

**4** She turned to the nurse as tears streamed down her cheeks.

**5** Mark could not stand to lose at games by the time he was eight years old.

**6** While he was gone, the arsonists entered the area and started the fire.

**7** Once they realized this, they were able to compromise regarding the housework.

구문+서술형

**4** The owner allowed her to stay there until she could contact her parents.

**5** Each day, as[when] school closes, dozens of students come to the library to do homework.

**6** Once we own something, we're[we are] far more likely to overvalue it.

**7** Before the show started, he took his son to see the animals in their respective cages.

---

**7 부사절: 이유, 조건**
pp. 100-101

구조+해석　　　　　　　　　REVIEW

**1** It / cannot be moved / out of forests / by floating down rivers [<u>unless the wood has been dried</u>
부사절(조건)
<u>first</u>].

만약 목재가 먼저 건조되지 않으면 그것은 강에 띄워 보내서 숲 밖으로 운반될 수 없다.

**2** The habit of asking questions / forces / you / to have a different inner life experience, [<u>since you</u>
부사절(이유)
<u>will be listening more effectively</u>].

당신이 더욱 효과적으로 들을 것이기 때문에 질문을 하는 습관은 당신이 다른 내적인 삶의 경험을 갖도록 한다.

**3** [<u>In case you didn't see it</u>], I'm enclosing / a copy
부사절(조건)
of our class calendar / as a helpful reference.

당신이 그것을 보지 못했을 경우를 대비하여, 제가 도움이 될 만한 참고 자료로서 수업 일정표 사본을 동봉합니다.

구조+해석　　　　　　　　NEW SENTENCES

**1** For the past two weeks, / band practice / has been canceled [<u>because other groups needed</u>
부사절(이유)
<u>to use the room</u>].

지난 2주 동안, 다른 그룹들이 그 방을 사용할 필요가 있었기 때문에 밴드 연습이 취소되었다.

**2** [<u>If we have an appointment but are stuck in a</u>
부사절(조건)
<u>traffic jam</u>], that / does not really threaten / our lives.

만약 우리가 약속이 있지만 교통 체증에 갇혀 있다면, 그것이 우리의 생명을 실제로 위협하지는 않는다.

**3** [<u>Since many psychologists began with that</u>
부사절(이유)
<u>assumption</u>], they / inadvertently designed / research studies [that supported their own presuppositions].

많은 심리학자가 그 가정에서 출발했기 때문에, 그들은 자신들의 가정을 뒷받침하는 조사 연구를 무심코 설계했다.

구문+서술형

**4** You can do anything, if you just persist long and hard enough.

**5** Since so much material is being written, publishers can be very selective.

**6** Yesterday he could not attend to business as he was laid up with high fever.

**7** Sometimes a person is acclaimed as "the greatest" because there is little basis for comparison.

구문+서술형

**4** I grew anxious because[as, since, that] the time for surgery was drawing closer.

**5** If products have any problems, I am entitled to receive a full refund within 2 months.

**6** Personal blind spots can be overlooked because [as, since, that] you are unaware of their presence.

**7** The analogies between science and art are very good as long as you are talking about the creation and the performance.

구조+해석　　　　REVIEW

1 Half the participants / played / a block-matching game / for ten minutes, [while the other half sat quietly].
부사절(대조)

참가자 중 절반은 10분 동안 블록 맞추기 게임을 했는데, 반면에 나머지 절반은 조용히 앉아 있었다.

2 [Even though you can ignore the ads], by simply
부사절(양보)
being in front of your eyes, / they're doing / their work.

당신이 그 광고를 무시할 수 있을지라도, 단순히 당신의 눈앞에 있음으로써 그것들은 제 역할을 하고 있다.

3 Sometimes / animals / seem / unconcerned ⟨when approached closely⟩, [whereas other times /
부사절(대조)
they disappear in a flash ⟨when you come in sight⟩].

때때로 동물들은 가까이 접근했을 때 태연해 보이는데, 반면에 다른 때는 당신이 시야에 들어오면 그들은 순식간에 사라진다.

구문+서술형

4 Though it hasn't been proved, evolution is the best theory that we have.

5 Even if lying doesn't have any harmful effects, it is still morally wrong.

6 The number 799 feels significantly less than 800, whereas 798 feels pretty much like 799.

구조+해석　　　　NEW SENTENCES

1 [Whether you're nine or ninety years old], you /
부사절(양보)
should constantly be learning.

당신이 아홉 살이건 아흔 살이건 간에, 당신은 꾸준히 배우고 있어야 한다.

2 The indoor tree / was protected, [while the
부사절(대조)
outdoor tree had to cope with the elements].

실내의 나무는 보호를 받았지만, 반면에 집 밖의 나무는 악천후를 이겨내야 했다.

3 You / would find / it / very difficult indeed / to describe the *inside* of your friend, [even though
부사절(양보)
you feel ⟨you know such a great friend through and through⟩].

비록 당신은 그러한 멋진 친구를 속속들이 알고 있다고 느끼더라도, 당신 친구의 '내면'을 묘사하는 것은 정말로 매우 어렵다는 것을 알게 될 것이다.

구문+서술형

4 Although[(Even) Though, (Even) If] music was important to Paul, he became an artist.

5 While[Whereas] the percentage of hydropower energy steadily decreased, the technologies of solar energy took increasing shares during the same period.

6 (Even) Though[Although, (Even) If] the design of social media might change over time, the content of what people posted remains intact.

구조+해석　　　　REVIEW

1 [When koalas move], they / often look [as
부사절(시간)
though they're in slow motion].
부사절(양태)

코알라들이 움직일 때, 그들은 흔히 마치 그들이 슬로모션으로 움직이는 것처럼 보인다.

구조+해석　　　　NEW SENTENCES

1 This / created / a significant barrier to entry [so
that those working with gold could demand a
부사절(목적)
monopoly price for their services].

이것은 금을 다루는 사람들이 그들의 수고에 대한 독점적인 가격을 요구할 수 있도록 상당한 진입 장벽을 만들었다.

2 Human reactions / are / <u>so complex</u> [that they
                          so+형용사       부사절(결과)

can be difficult to interpret objectively].

인간의 반응은 너무 복잡해서 객관적으로 해석하기가 어려울 수
있다.

3 Exercise / is / a great way / for you / to begin

to deconstruct your negative emotions [<u>so that</u>

<u>they no longer affect your life</u>].
                     부사절(목적)

운동은 그것들이 더 이상 당신의 삶에 영향을 미치지 않도록 당
신이 당신의 부정적인 감정들을 해체하기 시작하는 훌륭한 방법
이다.

2 The belief / is / <u>such a longstanding assumption</u>
                                 such+a+형용사+명사

[that it could be called a habit of mind].
                     부사절(결과)

그 믿음은 너무나 오래된 가정이라서 그것은 습관적 사고로 불릴
수 있다.

3 [<u>As becoming literate is a basic goal of education</u>],
                     부사절(양태)

the key goal of early childhood programs / is /

to help / children / develop the ability to speak

freely / about their ideas.

읽고 쓸 수 있게 되는 것이 교육의 기본 목표인 것처럼, 초기 아동
프로그램들의 핵심 목표는 아이들이 자신들의 아이디어에 관하여
자유롭게 말할 수 있는 능력을 발전시키도록 돕는 것이다.

구문+서술형

4 The immune system is so complicated that it
would take a whole book to explain it.

5 Children are expected to do as their parents say.

6 I was so angry I slammed the door and stepped
out on the front porch.

구문+서술형

4 As Adam Smith said, ownership is woven into our
lives.

5 The ship was so treasured that the townspeople
preserved it for years and years.

6 It is best to cultivate detachment from their
shifting emotions so[in order] that you are not
caught up in the process.

---

UNIT 9 REVIEW QUIZ                                               p. 106

| 1 b | 2 a | 3 a | 4 b | 5 b | 6 a | 7 b | 8 a |

1 형용사 worn을 수식하는 부사 significantly가 알맞다.
   그 기계의 많은 부품들이 상당히 닳았다.

2 문장의 주어이자 분사구문의 의미상 주어인 Turner와 proceed는
   능동 관계이므로 현재분사가 알맞다.
   자신의 연구를 계속하면서 Turner는 동물학에서 박사 학위를
   받았다.

3 '~하기 위해서'라는 의미로 목적을 나타내는 부사적 용법의 to부
   정사가 알맞다.
   그는 나중에 그의 새로운 모험을 뽐내기 위해 휴대폰으로 사진을
   계속 찍는다.

4 문맥상 '아주 ~해서 …하다'라는 의미로 결과를 나타내는 접속사
   so ~ that …이 알맞다.
   집에 오는 길에, 나는 너무 배가 고파서 쓰러졌다.

5 문맥상 '~하기 전에'라는 의미로 시간을 나타내는 접속사 before
   가 알맞다.
   가짜 뉴스의 확산을 막기 위해, 당신이 기사를 공유하기 전에 그것
   을 읽어 보아라.

6 문맥상 '만약 ~라면'이라는 의미로 조건을 나타내는 접속사 If가 알
   맞다. Unless는 부정의 의미를 포함하고 있으므로 동사의 긍정형
   이 와야 한다.
   만약 당신이 이것을 위해 돈을 모아 놓지 않는다면, 당신은 결국
   갚아야 할 또 다른 빚을 지게 될 것이다.

7 「with+목적어(O)+분사」 형태의 분사구문이다. 목적어 their tail
   이 '들려진' 것이므로 수동 관계를 나타내는 과거분사가 알맞다.
   재미있게도, 청동오리는 꼬리를 물 위로 든 채로 수영을 한다.

8 문맥상 '~이기 때문에'라는 의미로 이유를 나타내는 접속사
   because가 알맞다.
   행복한 직원들이 더 열심히 일하기 때문에 업무 만족도는 생산성을
   높인다.

| 1 TRUE | 2 FALSE | 3 TRUE | 4 FALSE | 5 TRUE | 6 FALSE | 7 TRUE | 8 TRUE |

---

**UNIT 10 1 접속사: 등위접속사** pp. 108-109

## 구조+해석 REVIEW

1 Einstein / reached into his vest pocket for the 구₁
ticket, / but did not find it. 구₂
Einstein은 표를 꺼내려고 자신의 조끼 주머니에 손을 넣었지만, 그것을 찾지 못했다.

2 We / couldn't predict [what was going to happen / in front of us and around us]. 구₁ 구₂
우리는 우리 앞과 주위에서 무슨 일이 일어날지 예측할 수 없었다.

3 You could cut the pie in many different ways, / 절₁
but it never got any bigger. 절₂
당신은 많은 다양한 방법으로 파이를 자를 수 있었지만, 그것은 절대 조금도 더 커지지 않았다.

4 There, / the two of them / chose and purchased / 단어₁ 단어₂
two small trees.
그곳에서, 그 두 사람은 두 개의 작은 나무를 골라서 샀다.

## 구문+서술형

5 Recreation meets a wide range of individual needs and interests.

6 These buildings may be old and genuine, or they may be recent reproductions.

7 The grandmother smiled and said, "Remember this, and you will be successful in whatever you do."

8 Debate provides a focus on the content over style, so the attention is on the arguments, not on the person.

## 구조+해석 NEW SENTENCES

1 Children / may develop / imaginary friends / around three or four years of age. 단어₁ 단어₂
어린이는 세 살 혹은 네 살 즈음에 가상의 친구를 만들어 낼 수도 있다.

2 He wants to have that fire, / but the fire doesn't 절₁ 절₂
come.
그는 그 불을 갖고 싶어 하지만, 불은 일어나지 않는다.

3 Purchase / tickets / online at www.fanstaville.com 구₁
or at the entrance on the day of the festival. 구₂
티켓은 www.fanstaville.com에서 온라인으로 또는 축제 당일 입구에서 구매하세요.

4 Humans aren't naturally good at losing, / so 절₁
there will be tears, yelling, and cheating. 절₂ 단어₁ 단어₂ 단어₃
인간은 본래 지는 것을 잘하지 못해서, 눈물, 고함, 그리고 속임수가 있을 것이다.

## 구문+서술형

5 she mouthed the words, but the teacher noticed it

6 as a form of relaxation and release from work pressures or other tensions

7 but soon began to win and lose

8 provide people with much fat and protein but few vitamins

## 구조+해석 REVIEW

1 Educators / often physically rearrange / their learning spaces / to support either group work or independent study.

*either A or B: A와 B 둘 중 하나*

교육자들은 흔히 그들의 학습 공간을 모둠 활동이나 개별 학습을 지원하도록 물리적으로 재배치한다.

2 The development of writing / was pioneered / not by gossips, storytellers, or poets, but by accountants.

*not A but B: A가 아니라 B*

쓰기의 발달은 수다쟁이, 이야기꾼, 또는 시인에 의해서가 아니라 회계사에 의해서 개척되었다.

3 You / know [that neither apples nor anything else on Earth / cause / the Sun / to crash down on us].

*neither A nor B: A와 B 둘 다 아닌*

여러분은 사과나 지구상의 그 어떤 것도 태양이 우리에게 추락하도록 하지 않는다는 것을 알고 있다.

## 구문+서술형

4 You can submit both a poster and a slogan.

5 Cats can be either liquid or solid, depending on the circumstances.

6 Verbal and nonverbal signs are not only relevant but also significant to intercultural communication.

7 Neither an umbrella nor a raincoat was available in the house.

## 구조+해석 NEW SENTENCES

1 Photographs, / as well as woodcuts and engravings of them, / appeared / in newspapers and magazines.

*B as well as A: A뿐만 아니라 B도*

목판화와 판화뿐만 아니라 사진들도 신문과 잡지에 등장했다.

2 Scientists / not only have labs with students ⟨who contribute critical ideas⟩, but also have colleagues ⟨who are doing similar work⟩.

*not only A but also B: A뿐만 아니라 B도*

과학자들은 중요한 아이디어에 공헌하는 학생들과 함께 하는 실험실을 가지고 있을 뿐만 아니라, 유사한 연구를 하는 동료들도 가지고 있다.

3 The kindness and generosity ⟨shown by both friends and strangers⟩ made / a huge difference / for Monica and her family.

*both A and B: A와 B 둘 다*

친구들과 낯선 사람들이 보인 친절함과 너그러움은 Monica와 그녀의 가족에게 큰 변화를 불러일으켰다.

## 구문+서술형

4 we do not experience it as species, but as individual objects

5 he loved his work as well as his life[not only his life but also his work]

6 Caring for both soldiers and civilians suffering from sickness

7 social enterprises tend to rely either on grant capital or commercial financing products

## 구조+해석 REVIEW

1 [If you hang the Eco-card at the door], we / will not change / your sheets, pillow cases, and pajamas.

*명사1    명사2*
*명사3*

당신이 문에 Eco 카드를 걸어두면, 우리는 당신의 침대 시트와 베갯잇 그리고 잠옷을 교체하지 않을 것이다.

## 구조+해석 NEW SENTENCES

1 In countries ⟨such as Sweden, the Netherlands, and Kazakhstan⟩, the media / are owned by the public but operated by the government.

*명사1    명사2*
*명사3    동사구(be+p.p.)1*
*동사구((be)+p.p.)2*

스웨덴, 네덜란드, 카자흐스탄과 같은 나라에서는, 언론이 공공에 의해 소유되지만 정부에 의해 운영된다.

**2** In 1849, / he / was appointed the first professor
<u>　　　　　　　　　　　　　　　　　　</u>
　　　　　　　　　　　　동사구1
of mathematics at Queen's College in Cork, Ireland

and taught there until his death in 1864.
　　<u>　　　　　　　　　　　　　　</u>
　　　　동사구₂

1849년에 그는 아일랜드 Cork의 Queen's College의 최초 수
학 교수로 임명되었고, 1864년에 생을 마감할 때까지 그곳에서
가르쳤다.

**3** Each day, / as school closes, / dozens of students
/ come to the library / to do homework, / use the
　　　　　　　　　　　　　<u>　　　　　　</u>　　<u>　　　</u>
　　　　　　　　　　　　　to부정사구₁
library's computers, / or socialize in a safe place.
<u>　　　　　　　　　</u>　　　<u>　　　　　　　　　　</u>
　(to)부정사구₂　　　　　　(to)부정사구₃

매일, 학교가 끝날 때, 수십 명의 학생들이 숙제를 하려고, 도서
관의 컴퓨터를 사용하려고, 또는 안전한 장소에서 교제하려고 도
서관에 온다.

구문+서술형

**4** Impalas feed upon grass, fruits, and leaves from
trees.

**5** He pulled Jason out of his bed, opened the front
door and threw him out into the snow.

**6** The project aims to build conversation around
disability and to push for greater accessibility and
inclusion.

**7** I understand that this would be at my own
expense, and that I must get permission as per
the lease agreement.

**2** Studies / show [that no one is "born" / to be an
　　　　　　　　<u>　　　　　　　　　　　　　　　</u>
　　　　　　　　　　　that절₁
entrepreneur] and [that everyone has / the
　　　　　　　　　　<u>　　　　　　　　　　　　</u>
　　　　　　　　　　　　that절₂
potential ⟨to become one⟩].

연구들은 누구도 기업가가 되도록 '타고 난' 것은 아니며 모든
사람은 기업가가 될 잠재력이 있다는 것을 보여 준다.

**3** The old man / said [that we all need / time ⟨to
　　　　　　　　　　　　　　　　　　　　　　<u>　　</u>
relax⟩, ⟨to think and meditate⟩, and ⟨to learn
<u>　　</u>　　<u>　　　　　　　　　　　</u>　　　　<u>　　　</u>
to부정사₁　　　　　to부정사(구)₂　　　　　　to부정사(구)₃
and grow⟩].

그 노인은 우리는 모두 쉬고, 생각하고 명상하고, 배우고 성장할
시간이 필요하다고 말했다.

구문+서술형

**4** To celebrate our company's 10th anniversary and
to boost further growth

**5** the risk of being the victims of a plane crash, a car
accident, or a murder

**6** more credit to the community in science, politics,
business, and daily life

**7** Some people may feel uncomfortable and might
silently wonder

---

| UNIT 10 | 4 비교구문: 원급 | pp. 114-115 |

구조+해석　　　　　　　　　　　　　　REVIEW

**1** I / sincerely hope [that you / correct / this / as
　　　　　　　　　　　　　　　　　　　　　　<u>　</u>
soon as possible].
<u>　　　　　　　</u>
as+원급+as possible
나는 당신이 이것을 가능한 한 빨리 바로잡기를 진심으로 바
란다.

**2** The second shot / was / as perfect as / the first.
　　<u>　　　　　　</u>　　　　<u>　　　　　　</u>　　<u>　　</u>
　　　　A　　　　　　　as+원급+as　　　　B
두 번째 숏은 첫 번째 숏만큼 완벽했다.

구조+해석　　　　　　　　　　　　NEW SENTENCES

**1** Sports / involve / your brain / as much as / your
<u>　　　</u>　　　　　　<u>　　　　</u>　<u>　　　　　</u>　<u>　　</u>
　A　　　　　　　　　　　　　　as+원급+as　　　B
body.

스포츠는 신체만큼 두뇌를 필요로 한다.

**2** The percentage of e-reader use among people
<u>　　　　　　　　　　　　　　　　　　　　　　　</u>
　　　　　　　　　　　A
aged 30 and over / is / twice as large as / that
<u>　　　　　　　　　</u>　　　<u>　　　　　　　　</u>　　<u>　　</u>
　　　　　　　　　　　　　배수 표현+as+원급+as　　B
among people aged 16-29.

30세 이상의 사람들 사이에서의 전자책 단말기 사용 비율은
16~29세의 사람들 사이에서의 그것의 2배이다.

**3** Night after night / he / read / as long as he could.
<small>as+원급+as+S+could</small>

밤마다 그는 할 수 있는 한 오랫동안 책을 읽었다.

**4** In 1999, / the market share of imported fresh
<small>A</small>

fruit / was / three times as much as / that of
<small>배수 표현+as+원급+as</small> <small>B</small>

imported dried fruit.

1999년에, 수입된 생과일의 시장 점유율은 수입된 말린 과일의 그것보다 세 배 많았다.

구문+서술형

**5** A story is only as believable as the storyteller.

**6** In fact, black is perceived to be twice as heavy as white.

**7** The movies are subtitled in as many as 17 languages.

**8** The implementation of the plan is not as appealing as the plan.

---

**3** Food shortages / could force / as many as 1
<small>as many as: 무려 ~나 되는 수의</small>

billion people / to leave their homes / by 2050.

식량 부족은 2050년까지 무려 10억 명이나 되는 사람들이 그들의 집을 떠나게 만들 수 있다.

**4** Please let us know / as soon as possible / so
<small>as+원급+as possible: 가능한 한 ~하게</small>

that we can make other arrangements.

다른 계획을 세울 수 있도록 가능한 한 빨리 알려 주시기 바랍니다.

구문+서술형

**5** preparation and practice count as much as good luck

**6** As many as seven young are born

**7** to touch and stroke premature babies as much as possible

**8** Debating is as old as language itself

---

**구조+해석**      REVIEW

**1** The 'fight' distance / is always / smaller than /
<small>A</small> <small>비교급+than</small>

the flight distance.
<small>B</small>

'공격' 거리는 항상 도주 거리보다 더 짧다.

**2** The older the age group was, / the lower the
<small>The+비교급</small> <small>the+비교급</small>

percentage of those [who listened to both] was.

연령 집단의 나이가 많을수록, 두 형식을 모두 들은 사람들의 비율은 점차 낮아졌다.

**3** More and more institutions / followed / the lead
<small>비교급+and+비교급</small>

of the train companies.

점점 더 많은 기관들이 열차 회사들의 선례를 따랐다.

**4** The percentage of "share equally" households /
<small>A</small>

is / over two times higher than / that of "mother
<small>배수 표현+비교급+than</small> <small>B</small>

does more" households / in two categories.

'(집안일을) 동일하게 분담하는' 가정의 비율은 '엄마가 더 많이 하는' 가정의 그것보다 두 개의 항목에서 두 배가 넘게 더 높다.

---

**구조+해석**      NEW SENTENCES

**1** The more options we have, / the harder our
<small>The+비교급</small> <small>the+비교급</small>

decision making process will be.

선택의 폭이 넓어질수록, 우리의 의사 결정 과정은 더 어려워질 것이다.

**2** Today we consume / 26 times more stuff than /
<small>A</small> <small>배수 표현+비교급+than</small>

we did 60 years ago.
<small>B</small>

오늘날 우리는 60년 전보다 26배 더 많은 물건을 소비한다.

**3** Between 2014 and 2016, / the increase in electric
<small>A</small>

car stock in Japan / was less than / that in Norway.
<small>비교급+than</small> <small>B</small>

2014년과 2016년 사이에, 일본의 전기차 재고량의 증가는 노르웨이의 그것보다 더 적었다.

**4** [Although the Sun / has / much more mass than /
<small>A</small> <small>비교급 강조   비교급+(명사+)than</small>

the Earth], we are / much closer / to the Earth, /
<small>B</small> <small>비교급 강조   비교급</small>

so we feel / its gravity / more.

비록 태양이 지구보다 훨씬 더 많은 질량을 가지고 있지만, 우리가 지구에 훨씬 더 가까워서 지구의 중력을 더 많이 느낀다.

5 Our brains imagine impressive outcomes more readily than ordinary ones.

6 Their similarities are greater and more profound than their dissimilarities.

7 The more options they have, the more paralyzed they become.

8 The bombs would hit farther and farther from their targets every time they fell.

5 The better we predict, the less energy it costs us.

6 Day after day, he was bringing less and less trees.

7 The volume of the sound you hear with your ear on the desk is much louder than with it off the desk.

8 The flock's concerted choice is better than an individual bird's would be.

---

UNIT 10 | **6 비교구문: 최상급** | pp. 118–119

1 Nothing is / more important / than luck [when
　Nothing　　　비교급　　　than
people are trying to get good seats].

사람들이 더 좋은 좌석을 구하려고 할 때 아무것도 행운보다 더 중요하지 않다.

2 In both years, / the percentage of people ⟨selecting
　　　　　　　　　　　　　　A
comedy as their favorite⟩ was / the highest / of
　　　　　　　　　　　　　　　　　the+최상급
all the genres.
　of+복수명사
두 해 모두, 그들의 가장 좋아하는 것으로 코미디를 선택한 사람들의 비율은 모든 장르 가운데 가장 높았다.

3 One of the most curious paintings ⟨of the
　　　one of the+최상급+복수명사
Renaissance⟩ is / a careful depiction of a weedy

patch of ground by Albrecht Düer.

르네상스의 가장 호기심을 끄는 그림들 중 하나는 Albrecht Düer의 잡초가 무성한 지대의 정교한 묘사이다.

4 [If a food contains / more sugar than any other
　　　　　　　　　　　　비교급+than any other+단수명사
ingredient], government regulations / require

[that sugar be listed / first on the label].

한 식품이 다른 어떤 성분보다 더 많은 설탕을 함유하고 있다면, 정부 규정은 설탕이 라벨에 첫 번째로 기재될 것을 요구한다.

1 Of all the medical achievements ⟨of the 1960s⟩,
　　　　　　　　　　　　　　　　　of+복수명사
the most widely known / was / the first heart
　　the+최상급　　　　　　　　　　　　A
transplant.

1960년대의 모든 의학적 성취 중에서, 가장 널리 알려진 것은 최초의 심장 이식이었다.

2 "You / are / the nicest person [I've ever met]," I
　　A　　　　　the+최상급+명사　　　S+have ever p.p.
said.

"당신은 내가 만난 사람 중에서 가장 친절한 사람이다."라고 나는 말했다.

3 Changing our food habits / is / one of the
　　　　　　　　　　　　　　　　　one of the+
hardest things [we can do].
최상급+복수명사
우리의 식습관을 바꾸는 것은 우리가 할 수 있는 가장 어려운 일들 중 하나이다.

4 It is often incorrectly quoted [that mosquitoes
　　　　　　　　　　　　　　　　　A
kill / more people than any other animal does].
　　　비교급+than any other+단수명사
다른 어떤 동물보다 모기가 더 많이 사람을 죽인다고 종종 부정확하게 인용되고 있다.

5 At the time of its completion, the Gunnison Tunnel was the longest irrigation tunnel in the world.

6 The impala is one of the most graceful four-legged animals.

7 In 2002, Internet advertising revenue was smaller than any other media.

8 He became the youngest editor ever hired by *The Saturday Evening Post*.

5 I turned my head around and saw the oddest face in the world.

6 Do you know one of the best remedies for coping with family tension?

7 One of the best ways is (to) help retell the story of the frightening or painful experience.

8 According to cultural relativism, all of these systems are equally valid, and no system is better than another.

---

1 It would be great / if Congress settled their
　S+조동사의 과거형+V(원형)　　　if+S+V(과거)
disagreements / the same way.

만약 의회가 의견 불일치를 같은 방법으로 해결한다면 멋질 것이다.

2 If they doubled the number of their franchises /
　If+S+V(과거)
from thirteen to twenty-six, / they could each make
　　　　　　　　　　　　　　　　S+조동사의 과거형+V(원형)
one hundred and twenty-eight dollars / in one day!

만약 그들이 가맹점 수를 13개에서 26개로 두 배로 늘린다면, 그들은 하루에 각각 128달러를 벌 수 있을 것이다!

3 If I had used / disposable diapers all of that time,
　If+S+had p.p.
/ I would have spent between $4,000 and $4,500
　S+조동사의 과거형+have p.p.
on them.

만약 내가 그동안 내내 일회용 기저귀를 사용했더라면, 나는 거기에 4,000달러에서 4,500달러 사이의 돈을 썼을 것이다.

1 If both self-protective and utilitarian AVs were
　If+주어+V(과거)
allowed on the market, / few people would be
　　　　　　　　　　　　　　S+조동사의 과거형+V(원형)
willing to ride in the latter.

만약 자기방어적인 AV와 공리적인 AV가 모두 출시된다면, 후자(공리적인 AV)에 선뜻 타려고 할 사람은 거의 없을 것이다.

2 If you used the same plan / for taking lecture
　If+주어+V(과거)
notes, / you'd move so slowly [that you'd miss /
　　　　　　　S+조동사의 과거형+V(원형)
most of 〈what the instructor said〉].

만약 당신이 강의 필기를 위해 똑같은 계획을 사용한다면, 당신은 너무나 속도가 느려서 강사가 말한 것의 대부분을 놓칠 것이다.

3 If the people knew [they were being tested],
　If+주어+V(과거)
every one would instantly come to the aid of
　S+조동사의 과거형+V(원형)
the stranger.

만약 사람들이 자신이 실험 대상이라는 것을 안다면, 모두 즉시 그 낯선 사람을 도와줄 것이다.

4 If Wills had allowed himself to become frustrated by his outs, he would have never set any records.

5 If your brain could completely change overnight, you would be unstable.

6 If you were a robot, you'd be stuck here all day.

7 If the truck had been any closer, it would have been a disaster.

4 The expression would be more accurate if the calculations included

5 (that) they would get more treats if they waited

6 If everyone were motivated by fear, would ever be achieved

7 you would have done if you had not gone to the game

1 Many of us / live / day to day [as if the opposite
  S      V(현재)                        as if+S+V(과거)
were true].

우리 중 다수는 그 반대가 진실인 것처럼 하루하루를 살아간다.

2 It / appeared [as though the entire sky had turned
  S    V(과거)         as though+S+V(과거완료)
dark].

마치 하늘 전체가 검게 변했던 것처럼 보였다.

3 Wisely, / Voltaire left his name off the title page, /

otherwise / its publication would have landed him
otherwise        S+조동사의 과거형+have p.p.
in prison again / for making fun of religious beliefs.

현명하게도, Voltaire는 속표지에서 자신의 이름을 지웠는데, 만약
그렇지 않았다면 그 책의 출판은 종교적 신념을 조롱한 이유로
다시 그를 감옥에 갇히게 했을지도 모른다.

4 Without eustress, / you would never get this head
  Without+명사        S+조동사의 과거형+V(원형)
start.

긍정적 스트레스가 없다면, 당신은 이런 유리한 출발을 할 수 없을
것이다.

1 Without donations, / our center would not have
  Without+명사              S+조동사의 과거형+V(원형)
enough funds ⟨to keep operating⟩.

기부가 없다면, 우리 센터는 계속 운영할 충분한 기금을 마련하지
못할 것이다.

2 The women / did not feel [as though the cakes
             V(과거)         as though+S+V(과거)
⟨they made⟩ were "theirs."]

그 여성들은 자신들이 만든 케이크들이 '자신들의 것'인 것처럼
느끼지 않았다.

3 Treat / everyone [you meet] [as though you
  V(현재)                      as though+S+V(과거완료)
had just won an award / for being the very best

person / in your industry] or [as though you
                                as though+S+V(과거완료)
had just won the lottery].

마치 당신이 업계 최고의 사람에게 주는 상을 막 받았거나 복권에
막 당첨된 것처럼 당신이 만나는 모든 사람을 대하라.

4 The chances are good [that she's fantastic]. //

Otherwise, / she wouldn't have been chosen /
Otherwise        S+조동사의 과거형+have p.p.
among thousands of musicians.

아마도 그녀는 뛰어난 실력을 갖추고 있을 것이다. 그렇지 않았
다면, 그녀는 수천 명의 연주자들 중에서 선발되지 않았을 것이다.

구문+서술형

5 Act as though you were trying out for the role of
  a positive, cheerful, happy, and likable person.

6 Without money, people could only barter.

7 Without the formation and maintenance of social
  bonds, early human beings probably would not
  have been able to cope with or adapt to their
  physical environments.

구문+서술형

5 Without the pollination, fruits would become rare
  and expensive

6 The boy glanced over his shoulder as if[though]
  he knew

7 Some students even walked, as if[though] they
  were 50 years older

## 구조+해석 REVIEW

**1** Planting a seed / does not necessarily require /
부분 부정
overwhelming intelligence.

씨앗을 심는 것은 반드시 엄청난 지능을 필요로 하는 것은 아니다.

**2** Only then / did she turn and retrace her steps /
부정어          조동사+S+V: 도치
to the shore.

그제야 그녀는 뒤돌아서 해변으로 온 길을 되돌아갔다.

**3** It is / the uncertainty of the result and the quality
It is ~ that 강조 구문(목적어 강조)
of the contest [that consumers find attractive].

소비자들이 매력적이라고 여기는 것은 바로 그 결과의 불확실성
과 경기의 수준이다.

**4** Unlike coins and dice, / humans / have memories /
and do care about wins and losses.
동사 강조
동전과 주사위와는 달리, 인간은 기억이 있고, 승패에 정말로 관
심을 갖는다.

## 구문+서술형

**5** None of those lies convinced the king that he had
listened to the best one.

**6** Using a recorder has some disadvantages and is
not always the best solution.

**7** It's what's *under the ground* that creates what's
above the ground.

**8** Your voice is not blending in with the other girls
at all.

## 구조+해석 NEW SENTENCES

**1** Nothing happens immediately, / so in the
전체 부정
beginning / we can't see / any results / from our

practice.

아무것도 즉시 일어나는 것은 없으므로, 처음에 우리는 우리가
하는 일로부터 어떤 결과도 볼 수 없다.

**2** Analyzing people / to understand their

personalities / is not all about potential
부분 부정
economic or social benefit.

사람들의 성격을 이해하기 위해 그들을 분석하는 것은 잠재적인
경제적 또는 사회적 이익에 대한 것만은 아니다.

**3** As the human capacity ⟨to speak⟩ developed, /

so did our ability ⟨to trick prey⟩.
도치: so+V+S
인간의 말하는 능력이 발달함에 따라, 먹잇감을 속이는 우리의
능력도 그러했다.

**4** It's the seeds and the roots [that create those
It's ~ that 강조 구문(주어 강조)
fruits].

그런 열매들을 만들어 내는 것은 바로 씨앗들과 뿌리들이다.

## 구문+서술형

**5** Only when you can instantly recall, do you achieve
mastery

**6** So are your blind spots

**7** We do need at least five participants

**8** you aren't actually moving at all

구조+해석                                    REVIEW

**1** Beebe / began / to consider / the possibility ⟨of
    �⌣_(=)_⌣
diving with a deep-sea vessel / to study marine
creatures / in their natural habitat⟩.

Beebe는 자연 서식지에 있는 해양 생물들을 연구하기 위해 심
해용 선박을 이용해 잠수할 가능성을 고려하기 시작했다.

**2** My family / said [I could sing], but the teacher /
said [I couldn't].
    = couldn't sing
내 가족은 내가 노래할 수 있다고 말했지만, 그 선생님은 내가
(노래)할 수 없다고 말했다.

**3** Why does garbage exist / in the human system /
but not more broadly / in nature?
    = why does garbage not exist
왜 쓰레기가 인간 체계에는 존재하지만 자연에는 더 널리 존재하
지 않는가?

**4** While there, / he / saw / German and Flemish
= While he was there,
artworks [that influenced him greatly], (especially
the work of Jan van Eyck).
                삽입구
거기에 있는 동안, 그는 그에게 크게 영향을 준 독일과 플랑드르
지방의 작품들을 보았는데, 특히 Jan van Eyck의 작품에서 영
향을 받았다.

구조+해석                                    NEW  SENTENCES

**1** After all, / nearly everyone / has / an idea /
about [what types of activities / are regarded /
as sports] and [which are not].
    = are not regarded as sports
어쨌든, 거의 모든 사람이 어떤 유형의 활동이 스포츠로 여겨지고
어떤 것이 그렇지 않은지에 관한 생각을 가지고 있다.

**2** Even with my foot on the brake, / the car was
going / faster than / I wanted it to.
                                = to go
심지어 내 발이 브레이크 위에 있었지만, 차는 내가 원하는 것보다
더 빠르게 가고 있었다.

**3** Clara, (an 11-year-old girl), / sat in the back seat
    ⌣_(=)_⌣
of her mother's car / with the window down.

11세 소녀 Clara는 창문을 내린 채 자신의 어머니 차의 뒷좌석에
앉아 있었다.

**4** Incredibly, / the plant / has chosen / to manufacture
fructose, (instead of glucose).
                삽입구
놀랍게도, 식물은 포도당 대신 과당을 만들기로 결정했다.

구문+서술형

**5** In a few years, Yolanda, now a teenager, came to
visit her grandmother again.

**6** The notion that food has a specific influence on
gene expression is relatively new.

**7** The image shows Buchaechum, a traditional
Korean fan dance.

**8** He has to see and hear birds the way the father
wants him to.

구문+서술형

**5** locate his father among the sea of heads, but he
couldn't

**6** the father of violinist Mischa Elman, thought
differently

**7** he liked the idea of owning its stock

**8** the notion that no true standards of good and evil
actually exist

| 1 a | 2 b | 3 a | 4 a | 5 b | 6 a | 7 a | 8 b |
| --- | --- | --- | --- | --- | --- | --- | --- |

1 'A와 B 둘 중 하나'라는 의미의 상관접속사로, either *A* or *B*가 알맞다.
과거에는, 위험이 우리가 도망치거나 싸워야만 한다는 것을 의미했다.

2 등위접속사로 연결된 어구들은 문법적으로 대등한 관계를 이루어야 하므로 (can) buy가 알맞다.
그러면 판매자는 돈을 받고 다른 누군가로부터 구매할 수 있다.

3 '~보다 더 …한/…하게'라는 의미의 비교급 표현은 「비교급+than」으로 나타낸다. much는 비교급 강조 표현이다.
태양은 지구보다 훨씬 더 크고 훨씬 더 많은 질량을 가지고 있다.

4 '가장 ~한 … 중 하나'라는 의미의 최상급 표현은 「one of the+최상급+복수명사」로 나타낸다.
그들은 가장 중요한 장소들 중 한 곳을 발견했다.

5 '만약 ~라면, …할 텐데/…할 것이다'라는 의미의 가정법 과거는 「If+S+V(과거) ~, S+조동사의 과거형+V(원형) …」으로 나타낸다.
만약 그들이 성공하지 못한다면, 군대가 그들을 비난할 것이다.

6 '마치 ~인 것처럼 …한다'라는 의미의 가정법 표현은 「S+V(현재/과거)+as if[though]+S+V(과거) ~」이다.
당신이 마치 이미 그 사람인 것처럼 걷고, 이야기하고, 행동하라.

7 부정어 Little이 맨 앞에 쓰였으므로, 「부정어+조동사+S+V」 형태로 도치되어야 한다.
담당 직원들은 시계 스위치를 끄지 않았다는 사실을 몰랐다.

8 I could meet Evelyn soon은 the thought를 구체적으로 설명하는 동격절이므로 that이 알맞다. 전치사 of 뒤에는 명사(구)가 와야 한다.
Evelyn을 곧 만날 수 있다는 생각이 나의 발걸음을 가볍게 했다.

중학부터 수능까지 필수 어휘를
단계별로 마스터하는
# 바로 VOCA

예비중~중3 ·····○ 예비고~고1

| 중학 기본 | 중학 실력 | 중학 완성 | 고교 기본 | 수능 필수 |
|---|---|---|---|---|

| 중학 기본 800 ▶ | 반복 어휘 300 | 반복 어휘 300 | 반복 어휘 500 | 반복 어휘 1,000 |
|---|---|---|---|---|
| | 신출 어휘 900 | 신출 어휘 600 | 신출 어휘 1,000 | 신출 어휘 1,000 |
| | 누적 어휘 1,700 | 누적 어휘 2,300 | 누적 어휘 3,300 | 누적 어휘 4,300 |

# 바로 VOCA

▶ 최빈출 핵심 어휘는 단계별로 반복되도록 체계적으로 구성
▶ 교과서, 모의고사, 수능 기출문제에서 뽑은 실전 예문으로 구성
▶ QR코드로 연결되는 바로 듣기 앱 (두 가지 버전 표제어 MP3 파일 제공)
▶ 암기 테스트용 어휘 출제 프로그램 제공 (book.chunjae.co.kr)

특별부록
암기하기 편하다!
바로 확인하는
휴대용 암기카드

정답은
이안에
있어 !

Basic

# 배움으로 행복한 내일을 꿈꾸는
# 천재교육 커뮤니티 안내

교재 안내부터 구매까지 한 번에!
## 천재교육 홈페이지

천재교육 홈페이지에서는 자사가 발행하는 참고서,
교과서에 대한 소개는 물론 도서 구매도 할 수 있습니다.
회원에게 지급되는 별을 모아 다양한 상품 응모에도
도전해 보세요.

구독, 좋아요는 필수! 핵유용 정보 가득한
## 천재교육 유튜브 <천재TV>

신간에 대한 자세한 정보가 궁금하세요?
참고서를 어떻게 활용해야 할지 고민인가요?
공부 외 다양한 고민을 해결해 줄 채널이 필요한가요?
학생들에게 꼭 필요한 콘텐츠로 가득한 천재TV로 놀러 오세요!

다양한 교육 꿀팁에 깜짝 이벤트는 덤!
## 천재교육 인스타그램

천재교육의 새롭고 중요한 소식을 가장 먼저 접하고 싶다면?
천재교육 인스타그램 팔로우가 필수!
누구보다 빠르고 재미있게 천재교육의 소식을 전달합니다.
깜짝 이벤트도 수시로 진행되니 놓치지 마세요!